Infocracia

Byung-Chul Han

Infocracia
La digitalización y la crisis de la democracia

Traducción de Joaquín Chamorro Mielke

taurus

Papel certificado por el Forest Stewardship Council®

Título original: *Infokratie. Digitalisierung und die Krise der Demokratie*

Primera edición: abril de 2022
Segunda reimpresión: noviembre de 2024

© 2021, Byung-Chul Han
© 2021, Matthes & Seitz Berlin Verlag, Berlin. Todos los derechos reservados por Matthes & Seitz Berlin Verlagsgesellschaft mbH.
© 2022, Penguin Random House Grupo Editorial, S. A. U.
Travessera de Gràcia, 47-49. 08021 Barcelona
© 2022, Joaquín Chamorro Mielke, por la traducción

Penguin Random House Grupo Editorial apoya la protección de la propiedad intelectual. La propiedad intelectual estimula la creatividad, defiende la diversidad en el ámbito de las ideas y el conocimiento, promueve la libre expresión y favorece una cultura viva. Gracias por comprar una edición autorizada de este libro y por respetar las leyes de propiedad intelectual al no reproducir ni distribuir ninguna parte de esta obra por ningún medio sin permiso. Al hacerlo está respaldando a los autores y permitiendo que PRHGE continúe publicando libros para todos los lectores. De conformidad con lo dispuesto en el artículo 67.3 del Real Decreto Ley 24/2021, de 2 de noviembre, PRHGE se reserva expresamente los derechos de reproducción y de uso de esta obra y de todos sus elementos mediante medios de lectura mecánica y otros medios adecuados a tal fin. Diríjase a CEDRO (Centro Español de Derechos Reprográficos, http://www.cedro.org) si necesita reproducir algún fragmento de esta obra.

Printed in Spain – Impreso en España

ISBN: 978-84-306-2489-8
Depósito legal: B-2.683-2022

Compuesto en Arca Edinet, S. L.
Impreso en Huertas Industrias Gráficas, S. A.
Fuenlabrada (Madrid)

TA 2 4 8 9 A

ÍNDICE

El régimen de la información 9
Infocracia 25
El fin de la acción comunicativa 43
Racionalidad digital 57
La crisis de la verdad 71

Notas 93

EL RÉGIMEN DE LA INFORMACIÓN

Llamamos «régimen de la información» a la forma de dominio en la que la información y su procesamiento mediante algoritmos e inteligencia artificial determinan de modo decisivo los procesos sociales, económicos y políticos. A diferencia del régimen de la disciplina, no se explotan *cuerpos y energías*, sino *información y datos*. El factor decisivo para obtener el poder no es ahora la posesión de medios de producción, sino el acceso a la información, que se utiliza para la vigilancia psicopolítica y el control y pronóstico del comportamiento. El régimen de la información está acoplado al capitalismo de la información, que hoy deviene en un capitalismo de la vigilancia y que degrada a las personas a la condición de *datos y ganado consumidor*.

El régimen de la disciplina es la forma de dominación del capitalismo industrial. Este régimen adopta una forma maquinal. Todo el mundo es un engranaje dentro de la maquinaria disciplinaria del poder. El poder disciplinario penetra en las vías nerviosas y en las fibras musculares, y convierte «una pasta informe, un cuerpo inepto», en una «máquina».[1] Fabrica cuerpos «dóciles»: «Es dócil un cuerpo que puede ser sometido, que puede ser utilizado, que puede ser transformado y perfeccionado».[2] Los cuerpos dóciles como máquinas de producción no son *portadores de datos e información*, sino *portadores de energías*. En el régimen de la disciplina, los seres humanos son entrenados para convertirse en *ganado laboral*.

El capitalismo de la información, que se basa en la comunicación y la creación de redes, hace que técnicas de disciplina como el aislamiento espacial, la estricta reglamentación del trabajo o el adiestramiento físico queden obsoletas. La «docilidad» (*docilité*), que también significa sumisión u obediencia, no es el ideal del régimen de la información. El sujeto del régimen de la información no es dócil ni obediente. Más bien se cree *libre, auténtico y creativo*. *Se produce* y *se realiza* a sí mismo.

El régimen de la disciplina que describe Foucault utiliza el aislamiento como medio de dominación: «La soledad es la primera condición de la sumisión total».[3] El panóptico con celdas aisladas unas de otras es la imagen ideal y simbólica del régimen de la disciplina. Sin embargo, el aislamiento ya no puede aplicarse al régimen de la información, que explota especialmente la comunicación. La vigilancia en el régimen de la información tiene lugar a través de los datos. Los internos del panóptico disciplinario, aislados de sí mismos, no generan datos, no dejan rastros de datos, porque *no se comunican*.

El objetivo del poder disciplinario biopolítico es el cuerpo: «Para la sociedad capitalista lo más importante era lo biopolítico, lo biológico, lo somático, lo corporal».[4] En el régimen biopolítico, el cuerpo se sujeta a una maquinaria de producción y vigilancia que lo optimiza mediante la ortopedia disciplinaria. El régimen de la información, en cambio, cuyo advenimiento Foucault obviamente no reconoció, no persigue ninguna *biopolítica*. Su interés no está en el cuerpo. Se apodera de la *psique* mediante la *psicopolítica*. Hoy el cuerpo es, ante todo, objeto de estética y *fitness*. Al menos en el capitalismo informativo occidental, está en gran medida liberado del poder disciplinario que lo convierte en una máquina de trabajo. Ahora está secuestrado por la industria de la belleza.

Toda dominación tiene su propia *política de visibilización*. En el régimen de los soberanos, las escenificaciones ostentosas del poder son esenciales para la dominación. El espectáculo es su medio. La dominación se presenta con un esplendor teatral. Sí, es el *esplendor* lo que lo legitima. Las ceremonias y los símbolos de poder estabilizan la dominación. Las coreografías para impresionar al público y el atrezo de la violencia, los ritos sombríos y el ceremonial del castigo forman parte de la dominación como teatro y espectáculo. Los tormentos físicos se exponen al público. Los verdugos y los condenados obran como actores. El ámbito público es un escenario. El poder del soberano funciona por medio de la visibilidad teatral. Es un poder que se deja ver, se da a conocer, se vanagloria y brilla. Sin embargo, los sometidos sobre los que se ejerce y despliega permanecen en gran medida invisibles.

A diferencia del régimen premoderno del soberano, el régimen moderno de la disciplina no es una sociedad del espectáculo, sino una sociedad de la vigilancia. Las ostentosas celebraciones de los soberanos y las espectaculares exhibiciones de poder dejan paso a las poco espectaculares burocracias de la vigilancia. Los seres humanos «no estamos ni sobre las gradas ni sobre la escena, sino en la máquina panóptica».[5] En el régimen de la disciplina, la antigua visibilidad se invierte por completo. No son los gobernantes los que se hacen visibles, sino los gobernados. El poder disciplinario se hace invisible mientras impone una visibilidad permanente a sus súbditos. Para asegurar el control del poder, los subyugados se exponen a los focos. El «hecho de ser visto sin cesar» mantiene al individuo disciplinado en su sumisión.[6]

La eficacia del panóptico disciplinario consiste en que sus internos se sienten constantemente vigilados. Interiorizan la vigilancia. Para el poder disciplinario es esencial la creación de «un estado consciente y permanente de visibilidad».[7] En el estado de vigilancia de George Orwell, el Gran Hermano garantiza una visibilidad constante: *Big Brother is watching you*. En el régimen de la disciplina, las medidas de localización espacial, como el confinamiento y el aislamiento, garantizan la visibilidad de los sometidos. Se les asignan determinados lugares en el espacio de los que no pueden salir. Su movilidad está masivamente restringida para que no puedan escapar al control del panóptico.

En la sociedad de la información, los medios de reclusión del régimen de la disciplina se disuelven en redes abiertas. El régimen de información se rige por los siguientes principios topológicos: las discontinuidades se desmontan en favor de las continuidades, los cierres se sustituyen por aperturas y las celdas de aislamiento por redes de comunicación. La visibilidad se establece ahora de una manera completamente diferente: *no a través del aislamiento, sino de la creación de redes*. La tecnología de la información digital hace de la comunicación un medio de vigilancia. Cuantos más datos generemos, cuanto más intensamente nos comuniquemos, más eficaz será la vigilancia. El teléfono móvil como instrumento de vigilancia y sometimiento explota la libertad y la comunicación. Además, en el régimen de la información, las personas no se sienten vigiladas, sino libres. De forma paradójica, es precisamente la sensación de libertad la que asegura la dominación. En este sentido, el régimen de la información difiere en gran medida del régimen de la disciplina. *La dominación se consuma en el momento en que la libertad y la vigilancia se aúnan.*

El régimen de la información se desenvuelve sin ningún tipo de restricción disciplinaria. No se obliga a la gente a tener una visibilidad panóptica. Más bien esta se expone sin ninguna coacción externa, por una necesidad interior. *Se produce a sí misma*, es decir, se pone en escena. La palabra francesa *se produire* significa *dejarse ver*. En el régimen de la información, las personas se esfuerzan por alcanzar la visibilidad *por sí mismas*, mientras que el régimen de la disciplina las obliga a ello. Se colocan de manera voluntaria ante el foco, incluso desean hacerlo, mientras que los internos del panóptico disciplinario procuran evitarlo.

La *transparencia* no es sino la política de hacer visible el régimen de la información. Referirse a la transparencia solo como la política de información abierta de una institución o persona es perder su alcance. La transparencia es el *imperativo sistémico del régimen de la información*. El imperativo de la transparencia reza así: *todo debe presentarse como información*. Transparencia e información son sinónimos. La sociedad de la información es la sociedad de la transparencia. El imperativo de la transparencia permite que la información circule con libertad. No son las personas las realmente libres, sino la información. La paradoja de la sociedad de la información es que *las personas están atrapadas en la información*. Ellas mismas se colocan los grilletes al comunicar y producir información. *La prisión digital es transparente.*

El Flagship Store de Apple en Nueva York es un cubo de cristal. Es un *templo de la transparencia*. En términos de la política de visualización, es la antítesis arquitectónica de la Kaaba de La Meca. Kaaba significa literalmente «cubo». Un denso manto negro lo oculta a la vista. Solo los sacerdotes tienen acceso al interior. Lo *arcano*, que deniega toda visibilidad, es constitutivo del dominio teopolítico. El espacio más interior del templo griego, que se sustrae a la visibilidad, se llama *ádyton* (literalmente, «lo inaccesible»). Solo los sacerdotes tienen acceso al espacio sagrado. El dominio se basa aquí en lo arcano. El edificio transparente de Apple, en cambio, está abierto las veinticuatro horas del día. En el sótano hay una tienda. Todo el mundo tiene acceso al edificio como cliente. La Kaaba, con su manto negro, y el edificio de Apple ilustran dos fundamentos diferentes de la dominación: *lo arcano y la transparencia*.

El cubo de cristal de Apple puede sugerir libertad y comunicación sin límites, pero en realidad materializa la *dominación despiadada de la información*. El régimen de la información hace que las personas sean completamente transparentes. La dominación en sí misma nunca es transparente. No existe la *dominación transparente*. La transparencia es el frente de un proceso que escapa a la visibilidad. La transparencia en sí misma no es transparente. Tiene una parte trasera. *La sala de máquinas de la transparencia es oscura.* Así es como nos entregamos al poder cada vez mayor de la caja negra algorítmica.

En el régimen de la información, el dominio se oculta fusionándose por completo con la vida cotidiana. Se esconde detrás de lo agradable de los medios sociales, la comodidad de los motores de búsqueda, las voces arrulladoras de los asistentes de voz o la solícita servicialidad de las *smarter apps*. El smartphone está demostrando ser un eficaz *informante* que nos somete a una vigilancia constante. La *smarthome* transforma todo el hogar en una prisión digital que registra de manera minuciosa nuestra vida cotidiana. El robot aspirador inteligente, que nos ahorra la tediosa limpieza, cartografía toda la vivienda. La *smartbed* con sensores en red continúa la monitorización incluso durante el sueño. La vigilancia se introduce en la vida cotidiana en forma de *convenience*. En la prisión digital como zona de bienestar inteligente no hay resistencia al régimen imperante. El *like* excluye toda revolución.

El capitalismo de la información se apropia de técnicas de poder neoliberales. A diferencia de las técnicas de poder del régimen de la disciplina, no funcionan con coerciones y prohibiciones, sino con *incentivos positivos*. Explotan la libertad, en lugar de suprimirla. Controlan nuestra voluntad en el plano inconsciente, en lugar de quebrantarla violentamente. El poder disciplinario represivo deja paso a un poder inteligente que no da órdenes, sino que *susurra*, que no manda, sino que da con el codo, es decir, *da un toque* con medios sutiles para controlar el comportamiento. La vigilancia y el castigo, que caracterizan el régimen de la disciplina según Foucault, dejan paso a la *motivación* y la *optimización*. En el régimen neoliberal de la información, la dominación se presenta como *libertad, comunicación y community*.

Los *influencers* de YouTube e Instagram también han interiorizado las técnicas de poder neoliberales. *Influencers* de viajes, de belleza o de *fitness* invocan sin cesar la libertad, la creatividad y la autenticidad. Los anuncios de productos, incluidos con habilidad en su autoescenificación, no se consideran molestos. De ese modo, son específicamente buscados y codiciados, mientras que, en YouTube, los anuncios convencionales son eliminados por el bloqueador de anuncios. Los *influencers* son venerados como modelos a los que seguir. Ello dota a su imagen de una dimensión religiosa. Los *influencers*, como inductores o motivadores, se muestran como salvadores. Los seguidores, como discípulos, participan de sus vidas al comprar los productos que los *influencers* dicen consumir en su vida cotidiana escenificada. De ese modo, los seguidores participan en una *eucaristía digital*. Los medios de comunicación social son como una Iglesia: *el like es el amén. Compartir es la comunión. El consumo es la redención*. La repetición como dramaturgia de los *influencers* no conduce al aburrimiento y a la rutina. Más bien le da al conjunto el *carácter de una liturgia*. Al mismo tiempo, los *influencers* hacen que los productos de consumo parezcan utensilios de autorrealización. De esa manera, nos consumimos hasta la muerte, mientras nos realizamos hasta la muerte. El consumo y la identidad se aúnan. La propia identidad deviene en una mercancía.

Nos creemos libres, mientras nuestras vidas están sometidas a toda una protocolización para el control de la conducta psicopolítica. En el régimen neoliberal de la información, no es la conciencia de la vigilancia permanente, sino la *libertad sentida*, lo que asegura el funcionamiento del poder. En contraste con la *intocable* telepantalla del Big Brother, la pantalla táctil inteligente hace que todo esté disponible y sea consumible. De ese modo, se crea la ilusión de la «libertad de la yema de los dedos».[8] En el régimen de la información, *ser libre* no significa *actuar*, sino hacer clic, dar al *like* y postear. Así, apenas encuentra resistencia. No debe temer a ninguna revolución. Los dedos no son capaces de actuar en sentido enfático, como las *manos*. No son más que un *órgano de elección consumista*. El consumo y la revolución son mutuamente excluyentes.

Una de las principales características del totalitarismo clásico como religión política laica es la ideología, que constituye una «reivindicación de una explicación total» del mundo. La ideología como *narración* promete «la explicación total» de «todo el acontecer histórico, la explicación total del pasado, el conocimiento total del presente y la fiable predicción del futuro».[9] La ideología como explicación total del mundo elimina toda experiencia de la contingencia, toda incertidumbre.

Con su dataísmo, el régimen de la información revela rasgos totalitarios. Se esfuerza por lograr un conocimiento total. Pero el conocimiento total dataísta no se consigue con el *relato* ideológico, sino con la *operación* algorítmica. El dataísmo quiere *calcular* todo lo que es y será. El *big data* no *cuenta* nada. Los relatos dejan paso a los recuentos algorítmicos. El régimen de la información sustituye por completo lo narrativo por lo numérico. Los algoritmos, por muy inteligentes que sean, no pueden eliminar la experiencia de la contingencia con tanta eficacia como los relatos ideológicos.

El totalitarismo se despide de la realidad tal y como nos la *dan* nuestros cinco sentidos. Construye una realidad que sería *más real* detrás de lo *dado*, lo que hace necesario un sexto sentido. El dataísmo, en cambio, se las arregla sin el sexto sentido. No trasciende la *inmanencia de lo dado*, es decir, los *datos*. La palabra latina *datum*, que viene de *dare* («dar»), significa, literalmente, lo *dado*. El dataísmo no imagina otra realidad detrás de lo dado, detrás de los datos, porque es un *totalitarismo sin ideología*.

El totalitarismo forma una masa obediente que se somete a un líder. La ideología anima a las masas. Les insufla un *alma*. En *Psicología de las masas*, Gustave Le Bon habla del alma de la masa, que unifica las acciones de la masa. El régimen de la información, en cambio, *aísla* a las personas. Incluso cuando se reúnen, no forman una masa, sino enjambres digitales que no siguen a *un líder*, sino a sus *influencers*.

Los medios electrónicos son medios de masas en el sentido de que producen un hombre-masa: «El hombre-masa es el habitante electrónico del globo terráqueo y al mismo tiempo está conectado con todos los demás hombres, como si fuera un espectador en un estadio deportivo global».[10] El hombre-masa no tiene identidad. Es «nadie». Los medios digitales ponen fin a la era del hombre-masa. El habitante del mundo digitalizado ya no es ese «nadie». Más bien es *alguien con un perfil*, mientras que en la era de las masas solo los delincuentes tenían un perfil. El régimen de la información se apodera de los individuos mediante la elaboración de *perfiles de comportamiento*.

Según Walter Benjamin, la cámara cinematográfica permite acceder a una forma especial del inconsciente. Lo llama «inconsciente óptico». Los primeros planos o la cámara lenta harían visibles los micromovimientos y las microacciones que escapan al ojo humano. Sacarían a la luz un espacio inconsciente: «Solo aprendemos sobre el inconsciente óptico a través de ella [la cámara], como aprendemos sobre el inconsciente instintivo a través del psicoanálisis».[11] Las ideas de Benjamin sobre el inconsciente óptico pueden trasladarse al régimen de la información. El *big data* y la inteligencia artificial son como una *lupa digital* que descubre el inconsciente oculto del agente tras el espacio consciente de la acción. Por analogía con el inconsciente óptico, podemos llamarlo *inconsciente digital*. El *big data* y la inteligencia artificial ponen al régimen de la información en condiciones de influir en nuestro comportamiento por debajo del umbral de la conciencia. El régimen de la información se apodera de esas capas prerreflexivas, instintivas y emotivas del comportamiento que van por delante de las acciones conscientes. Su psicopolítica basada en datos interviene en nuestro comportamiento sin que seamos conscientes de ello.

Todo cambio fundamental de medios de comunicación crea un nuevo régimen. *El medio es el dominio.* A la vista de la revolución electrónica, Carl Schmitt se sintió obligado a redefinir su célebre frase sobre la soberanía: «Después de la Primera Guerra Mundial, dije: "Soberano es quien decide el estado de excepción". Después de la Segunda Guerra Mundial, con mi propia muerte a la vista, digo: "Soberano es quien dispone de las ondas del espacio"».[12] Los medios digitales hacen posible el dominio de la información. Las ondas, los medios electrónicos de masas, pierden importancia. Lo decisivo para obtener el poder es ahora la posesión de la información. No es la propaganda de los medios de masas, sino la información, la que asegura el dominio. Ante la revolución digital, Schmitt reescribiría su *dictum* sobre la soberanía: *soberano es quien manda sobre la información en la red.*

INFOCRACIA

La digitalización del mundo en que vivimos avanza inexorable. Somete nuestra percepción, nuestra relación con el mundo y nuestra convivencia a un cambio radical. Nos sentimos aturdidos por el frenesí comunicativo e informativo. El tsunami de información desata fuerzas destructivas. Entretanto, se ha apoderado también de la esfera política y está provocando distorsiones y trastornos masivos en el proceso democrático. La democracia está degenerando en *infocracia*.

En los primeros tiempos de la democracia, el libro era el medio determinante. El libro instauró el discurso racional de la Ilustración. La esfera pública discursiva, esencial para la democracia, debía su existencia al público lector. En *Historia y crítica de la opinión pública*, Habermas señala una estrecha relación entre el libro y la esfera pública democrática: «Con un público lector general, compuesto principalmente por los ciudadanos urbanos y la burguesía, y que se extiende más allá de la república de los sabios [...], se forma una red relativamente densa de comunicación pública, por así decirlo, desde el centro de la esfera privada».[1] Sin la imprenta, no podría haber habido una Ilustración que hiciera uso de la razón, del *raisonnement*. En la cultura del libro, el discurso muestra una coherencia lógica: «En una cultura determinada por la impresión de libros, el discurso público se caracteriza generalmente por una ordenación coherente y regulada de hechos e ideas».[2]

El discurso político del siglo XIX, marcado por la cultura del libro, tenía una extensión y una complejidad totalmente distintas. Los famosos debates públicos entre el republicano Abraham Lincoln y el demócrata Stephen A. Douglas ofrecen un ejemplo muy ilustrativo. En un duelo dialéctico que mantuvieron en 1854, Douglas habló en primer lugar durante tres horas. Lincoln también tenía tres horas para responder. Tras la respuesta de Lincoln, Douglas volvió a hablar durante una hora. Ambos oradores trataron temas políticos complejos con unas formulaciones en parte muy complicadas. La capacidad de concentración del público era asimismo extraordinariamente grande. La participación en el discurso público era una parte integral de la vida social de la gente de la época. Los medios de comunicación electrónicos destruyen el discurso racional determinado por la cultura del libro. Producen una *mediocracia*. Tienen una arquitectura especial. Debido a su estructura anfiteatral, los receptores están condenados a la pasividad. Habermas responsabiliza a los medios de comunicación de masas del declive de la esfera pública democrática. A diferencia del público lector, la audiencia televisiva está expuesta al peligro de recaída en la inmadurez: «Los programas que emiten los nuevos medios de comunicación [...] restringen las reacciones del receptor de una manera peculiar. Cautivan al público como oyente y espectador, pero al mismo tiempo le privan de la distancia de la "madurez", de la posibilidad de hablar y contradecir. Los razonamientos de un público lector ceden al "intercambio de gustos" e "inclinaciones" de los consumidores [...]. El mundo producido por los medios de masas es una esfera pública solo en apariencia».[3]

En la mediocracia, también la política se somete a la lógica de los medios de masas. La diversión determina la transmisión de los contenidos políticos y socava la racionalidad. En su obra *Divertirse hasta morir*, Neil Postman, teórico estadounidense de los medios de comunicación, muestra de qué manera el infoentretenimiento conduce al declive del juicio humano y sume a la democracia en una crisis. La democracia se convierte en *telecracia*. El entretenimiento es el mandamiento supremo, al que también se somete la política: «El esfuerzo del conocimiento y la percepción se sustituye por el negocio de la distracción. La consecuencia es una rápida decadencia del juicio humano. Hay una amenaza inequívoca en ella: hace al público inmaduro o lo mantiene en la inmadurez. Y toca la base social de la democracia. Nos divertimos hasta morir».[4] Las noticias se asemejan a un relato. La distinción entre ficción y realidad se torna difusa. Habermas también señala el infoentretenimiento, que tiene un efecto destructivo en el discurso: «Las noticias y los informes, incluso las declaraciones, están equipados con el inventario de la literatura de entretenimiento».[5]

La mediocracia es al mismo tiempo una *teatrocracia*. La política se agota en las escenificaciones de los medios de masas. En el apogeo de la mediocracia, el actor Ronald Reagan es elegido presidente de Estados Unidos. En los debates televisivos entre contrincantes, lo que cuenta ahora no son los argumentos, sino la *performance*. El tiempo de intervención de los candidatos presidenciales también se acorta de forma radical. El estilo de oratoria cambia. Quien ofrezca un mejor espectáculo ganará las elecciones. El discurso degenera en espectáculo y publicidad. Los contenidos políticos tienen cada vez menos importancia. La política pierde así toda su sustancia y se ahueca en una política telecrática de imágenes.

La televisión fragmenta el discurso. Hasta los medios impresos se vuelven televisivos: «En la era de la televisión, la noticia breve se convierte en la unidad básica de información en los medios impresos. [...] No puede pasar mucho tiempo antes de que se concedan premios a la mejor noticia de una sola frase».[6] Ni siquiera la radio, que es en verdad idónea para transmitir un lenguaje racional y complejo, se libra de este proceso de decadencia. Su lenguaje también es cada vez más fragmentario y discontinuo. La radio está secuestrada asimismo por la industria musical. Su lenguaje está diseñado para «provocar reacciones viscerales».[7] Se transforma en un equivalente lingüístico de la música rock.

La historia de la dominación puede describirse como el dominio de diferentes pantallas. En su alegoría de la caverna, Platón nos presenta una pantalla arcaica. La caverna está concebida como un teatro. La luz de una hoguera proyecta en la pared de una caverna las sombras de diversos objetos que unos hombres mueven a espaldas de los prisioneros recluidos en la caverna. Estos prisioneros, encadenados desde la infancia por el cuello y las piernas, ven las sombras y creen que son la única realidad. La pantalla arcaica de Platón ilustra el *dominio de los mitos*.

En el estado de vigilancia totalitaria de Orwell, una pantalla llamada *telescreen* cumple una función esencial. En ella se ven sin parar emisiones propagandísticas. Frente a ella, las masas llevan a cabo, en un estado de excitación colectiva, rituales de sumisión en los que gritan al unísono. En la vida privada, la telepantalla funciona también como una cámara de vigilancia con un micrófono muy sensible que registra el más mínimo sonido. La gente vive sabiendo que está permanentemente vigilada por la policía del pensamiento. La telepantalla no se puede desconectar. Es un aparato disciplinario biopolítico. Todos los días organiza una gimnasia matutina que sirve para producir cuerpos dóciles.

En la telecracia, la pantalla de vigilancia del Gran Hermano es sustituida por la pantalla de televisión. La gente no está vigilada, sino entretenida.

No está reprimida, sino que se vuelve adicta. La policía del pensamiento y el Ministerio de la Verdad son aquí superfluos. Ya no son el dolor y la tortura, sino el entretenimiento y el placer, los medios de dominación: «En *1984*, añade Huxley, se controla a los hombres infligiéndoles dolor. En *Un mundo feliz* se los controla proporcionándoles placeres. Así pues, Orwell temía que lo que aborrecemos nos destruyera. Huxley temía que lo que nos gusta nos destruyera».[8]

Un mundo feliz, de Huxley, está en muchos aspectos más cerca de nuestro presente que el estado de vigilancia de Orwell. Es una *sociedad paliativa*. El dolor está mal visto. Incluso los sentimientos intensos son reprimidos. Todos los deseos y todas las necesidades deben ser satisfechos de inmediato. La gente está obnubilada por la diversión, el consumo y el placer. La obligación de ser feliz domina la vida. El Estado distribuye una droga llamada «soma» para aumentar la sensación de felicidad de la población. En *Un mundo feliz*, hay un «cine de sensaciones» en lugar de la *telescreen*. Como experiencia de todo el cuerpo, a la que contribuye un «órgano de perfumes», aturde a la gente. Y, junto con la droga, se utiliza como medio de dominación.

La *telescreen* y la pantalla de televisión han sido sustituidas por la *touchscreen*. El nuevo medio de sometimiento es el smartphone. En el régimen de la información, las personas ya no son espectadores pasivos que se rinden a la diversión. Todas ellas son emisores activos. Están constantemente produciendo y consumiendo información. El frenesí comunicativo, que ahora adopta formas adictivas y compulsivas, atrapa a las personas en una nueva inmadurez. La fórmula de sometimiento del régimen de la información es: *nos comunicamos hasta morir.*

El libro de Habermas *Historia y crítica de la opinión pública* (1962) solo conoce, por la época en que se escribió, los medios de comunicación electrónicos. En la actualidad, los medios digitales someten a la esfera pública a un drástico cambio estructural. El libro de Habermas necesita, por tanto, una revisión de gran calado. En la era de los medios digitales, la esfera pública discursiva no está amenazada por los formatos de entretenimiento de los medios de comunicación de masas, ni por el *infotainment*, sino por la difusión y multiplicación viral de la información, es decir, por la *infodemia*.[9] Además, las fuerzas centrífugas que fragmentan la esfera pública están inseparablemente unidas a los medios digitales. La estructura anfiteatral de los medios de comunicación de masas deja paso a la *estructura rizomática* de los medios digitales, que no tienen un centro. La esfera pública se desintegra en espacios privados. Como resultado, nuestra atención no se centra en cuestiones relevantes para la sociedad en su conjunto.

Es necesaria una fenomenología de la información para comprender mejor la infocracia, la crisis de la democracia en el régimen de la información. Esta crisis comienza ya en el plano cognitivo. La información tiene un intervalo de actualidad muy reducido. Carece de *estabilidad temporal*, porque vive del «atractivo de la sorpresa».[10] Debido a su inestabilidad temporal, fragmenta la percepción. Arrastra la realidad a un «permanente torbellino de actualidad».[11] Es imposible *detenerse* en la información. Esto deja al sistema cognitivo en estado de inquietud. La necesidad de aceleración inherente a la información reprime las prácticas cognitivas que consumen tiempo, como *el saber, la experiencia y el conocimiento*.

Por su reducido intervalo de actualidad, la información atomiza el tiempo. Este se reduce a una mera secuencia de presencias puntuales. En esto, la información se diferencia de los relatos, que generan una continuidad temporal. El tiempo está hoy fragmentado en todos los órdenes. *Las arquitecturas sustentadoras del tiempo*, que estabilizan tanto la vida como la percepción, se están erosionando a ojos vistas. El *cortoplacismo* general de la sociedad de la información no favorece la democracia. El discurso tiene una temporalidad intrínseca que no es compatible con una comunicación acelerada y fragmentada. Es una práctica que requiere mucho tiempo.

La racionalidad también requiere tiempo. Las decisiones racionales se toman para largo tiempo. Vienen precedidas de una reflexión que se remite, más allá del momento, al pasado y al futuro. Esta extensión temporal distingue a la racionalidad. En la sociedad de la información simplemente no tenemos tiempo para la acción racional. La coerción de acelerar la comunicación nos priva de la *racionalidad*. Bajo la presión del tiempo, recurrimos a la *inteligencia*. La inteligencia tiene una temporalidad completamente diferente. La acción inteligente se orienta hacia *soluciones y éxitos a corto plazo*. Por eso Luhmann observa con razón: «En una sociedad de la información ya no se puede hablar de comportamiento racional, sino, en el mejor de los casos, de comportamiento inteligente».[12]

Hoy la racionalidad discursiva también se ve amenazada por la comunicación afectiva. Nos dejamos *afectar* demasiado por informaciones que se suceden rápidamente. Los afectos son más rápidos que la racionalidad. En una comunicación afectiva, no son los mejores argumentos los que prevalecen, sino la información con mayor potencial de excitación. Así, las *fake news* concitan más atención que los hechos. Un solo tuit con una noticia falsa o un fragmento de información descontextualizado puede ser más efectivo que un argumento bien fundado.

Trump, el primer presidente con Twitter, trocea su política en tuits. No son visiones, sino informaciones virales, las que los determinan. La infocracia fomenta la acción instrumental orientada al éxito. El oportunismo se extiende. La matemática estadounidense Cathy O'Neil señala con acierto que el propio Trump actúa como un algoritmo completamente oportunista, guiado solo por las reacciones del público. Las convicciones o los principios estables en el tiempo se sacrifican en aras de los *efectos de poder a corto plazo*.

La psicometría, también conocida como «psicografía», es un procedimiento basado en datos para obtener un perfil de personalidad. Los perfiles psicométricos permiten predecir el comportamiento de una persona mejor de lo que podría hacerlo un amigo o un compañero. Con suficientes datos, es posible incluso generar información más allá de lo que creemos saber de nosotros mismos. El smartphone es un dispositivo de registro psicométrico que alimentamos con datos día tras día, incluso cada hora. Puede utilizarse para calcular con precisión la personalidad de su usuario. El régimen de la disciplina solo disponía de información *demográfica*, lo que le permitía llevar a cabo una *biopolítica*. El régimen de la información, en cambio, tiene acceso a información *psicográfica*, que utiliza para su *psicopolítica*.

La psicometría es una herramienta ideal para el marketing psicopolítico. El llamado *microtargeting* utiliza perfiles psicométricos. A partir de los psicogramas de los votantes, se les hace publicidad personalizada en las redes sociales. Al igual que el comportamiento de los consumidores, el de los votantes se ve influido en un nivel subconsciente. La infocracia basada en datos socava el proceso democrático, que presupone la autonomía y el libre albedrío. La empresa de datos británica Cambridge Analytica se jacta de poseer los psicogramas de todos los ciudadanos adultos de Estados

Unidos. Tras la victoria electoral de Donald Trump en 2016, proclamaba triunfante: «Estamos encantados de que nuestro revolucionario enfoque de la comunicación basada en datos haya desempeñado un papel tan crucial en la extraordinaria victoria electoral del presidente electo Donald Trump».

En el *microtargeting*, los votantes no están informados del programa político de un partido, sino que se los manipula con publicidad electoral adaptada a su psicograma, y no pocas veces con *fake news*. Se comprueba la eficacia de decenas de miles de variantes de un anuncio electoral. Estos *dark ads* psicométricamente optimizados suponen una amenaza para la democracia. Cada cual recibe un mensaje diferente, y esto fragmenta al público. Grupos distintos reciben información diferente, que a menudo se contradice. Los ciudadanos dejan de estar sensibilizados para las cuestiones importantes, de relevancia social. Están más bien incapacitados por haber quedado reducidos a un *ganado* manipulable de votantes que tiene que asegurar el poder a los políticos. Los *dark ads* contribuyen a la división y polarización de la sociedad y envenenan el clima del discurso. Además, son invisibles para el público. De este modo, socavan un principio fundamental de la democracia: la *autoobservación de la sociedad.*

Hoy cualquier persona con acceso a internet puede organizar sus propios canales de información. La tecnología de la información digital reduce los costes de producción de la información casi a cero. Con unos sencillos pasos, se puede crear una cuenta de Twitter o un canal de YouTube de forma rápida y gratuita. En la era de los medios de comunicación de masas, los costes de producción de la información eran incomparablemente más altos. Y organizar un canal de noticias resultaba muy caro. En la sociedad de los medios de comunicación de masas no existía una infraestructura para la producción masiva de noticias falsas. La televisión podía ser un reino de apariencias, pero aún no era una fábrica de *fake news*. La mediocracia como telecracia se basaba en el espectáculo y el entretenimiento, no en las noticias falsas y la desinformación. Solo la red digital creó las condiciones estructurales previas para las distorsiones infocráticas de la democracia.

La mediocracia degradaba las campañas electorales hasta convertirlas en una *guerra de escenificaciones* mediáticas. El discurso era sustituido por un show para el público. La televisión, como medio principal de la mediocracia, funcionaba como escenario político. En la infocracia, por el contrario, las campañas electorales degeneran en una *guerra de información*. Twitter *no es un escenario de la mediocracia, sino de la infocracia*. A Trump no le preocupa ofrecer una buena *performance*. Más bien está dirigiendo una implacable guerra de información.

Hoy las guerras de información se libran con todos los medios técnicos y psicológicos imaginables. En Estados Unidos y Canadá, los votantes son llamados por robots e inundados con noticias falsas. Ejércitos de troles intervienen en las campañas electorales difundiendo de forma deliberada noticias falsas y teorías conspirativas. Los bots, cuentas falsas automatizadas en las redes sociales, se hacen pasar por personas reales y publican, tuitean, «likean» y comparten. Difunden *fake news*, difamaciones y comentarios cargados de odio. Los ciudadanos son sustituidos por robots. Generan voces masivas con un coste marginal cero que infunden determinados sentimientos. Así es como distorsionan masivamente los debates políticos. También inflan de manera artificial el número de seguidores, fingiendo de este modo un estado de opinión inexistente. Con sus tuits y comentarios pueden cambiar el clima de opinión en los medios sociales en la dirección deseada. Los estudios demuestran que basta con un pequeño porcentaje de bots para cambiar el clima de opinión. Puede que no influyan de manera directa en las decisiones de voto, pero manipulan los ámbitos de decisión. Los votantes están expuestos *inconscientemente* a sus influencias. Si los políticos se orientan por los sentimientos en la red, los bots sociales influyen de forma indirecta en las decisiones políticas. Cuando los ciudadanos interactúan con robots de opinión y se dejan manipular por ellos, cuando determinados actores, cuyos orígenes y motivaciones son completamente oscuros, interfieren en los debates políticos, la democracia está en peligro. En las campañas electorales entendidas como guerras de información, no son ya los mejores argumentos los que prevalecen, sino los algoritmos más inteligentes. En esta infocracia, en esta guerra de la información, no hay lugar para el discurso.

En la infocracia, la información se utiliza como un arma. El sitio web de Alex Jones, conocido radical de derechas estadounidense y teórico de la conspiración, se llama InfoWars. Se trata de un destacado representante de la infocracia. Con sus burdas teorías conspirativas y con sus noticias falsas llega a un público de millones de personas que le creen. Actúa como un infoguerrero (*infowarrior*) contra el *establishment* político. Donald Trump lo incluye expresamente entre las personas a las que atribuye su victoria electoral de 2016. Las *infowars* con *fake news* y teorías de la conspiración indican el estado de la democracia actual, donde la verdad y la veracidad ya no importan. La democracia se hunde en una jungla impenetrable de información.

Los memes desempeñan un papel central en las campañas electorales como armas para la guerra de la información. Los memes son dibujos cómicos, montajes fotográficos o vídeos cortos con un eslogan breve y provocador que se difunden en las redes sociales y se hacen virales. Tras la victoria electoral de Donald Trump, el *Chicago Tribune* citó a un usuario de 4chan: «Realmente hemos elegido un meme como presidente». La CNN llamó a las elecciones estadounidenses de 2020 «elecciones meme» (The Meme Election). La campaña electoral fue «la gran guerra de los memes» (The Great Meme War). También se ha hablado de «guerra memética» (*memetic warfare*).

Los memes son *virus mediáticos* que se propagan, se reproducen y también mutan con extrema rapidez en la red. Una pieza nuclear de la información, el ARN del meme, se implanta en una envoltura visual infecciosa. La comunicación basada en memes como *contagio viral* complica el discurso racional en la medida en que ante todo moviliza los afectos. La guerra de los memes indica que la comunicación digital favorece cada vez más lo visual sobre lo textual. Las imágenes son más rápidas que los textos. Ni el discurso ni la verdad son virales. La creciente visualización de la comunicación dificulta a su vez el discurso democrático, porque las imágenes no argumentan ni justifican nada.

La democracia es lenta, larga y tediosa, y la difusión viral de la información, la *infodemia*, perjudica en gran medida el proceso democrático. Los argumentos y los razonamientos no tienen cabida en los tuits o en los memes que se propagan y proliferan a velocidad viral. La coherencia lógica que caracteriza el discurso es ajena a los medios virales. La información tiene su propia lógica, su propia temporalidad, *su propia dignidad, más allá de la verdad y la mentira*. También las noticias falsas son, *ante todo, información*. Antes de que un proceso de verificación se ponga en marcha, ya ha tenido *todo su efecto*. La información corre más que la verdad, y no puede ser alcanzada por esta. El intento de combatir la infodemia con la verdad está, pues, condenado al fracaso. Es *resistente a la verdad*.

EL FIN DE LA ACCIÓN COMUNICATIVA

En su ensayo *Inteligencia colectiva*, el teórico de los medios de comunicación Pierre Lévy pinta una democracia digital aún más directa que la llamada «democracia directa». Ella licuaría la osificada democracia representativa por medio de más comunicación, por medio de una incesante retroalimentación. Se asemeja al concepto de *LiquidFeedback*, un *software* que se utilizaba en el entorno del Partido Pirata, ya irrelevante, para formar opiniones y tomar decisiones: «La democracia en tiempo real [...] crea un tiempo de continuas tomas de decisiones y evaluaciones, en el que un colectivo responsable sabe que en el futuro se enfrentará a las consecuencias de sus actuales decisiones».[1] La representación, que crea distancia, se sustituye por la presencia de la participación directa. La democracia digital en tiempo real es una *democracia pre-*

sencial. Convierte el smartphone en un *Parlamento móvil* con el que se debate en todas partes y a todas horas. Se ha demostrado que la democracia en tiempo real, con la que se soñó en los primeros tiempos de la digitalización como la democracia del futuro, es una completa ilusión. Los enjambres digitales no forman un colectivo responsable y políticamente activo. Los *followers*, los nuevos súbditos de los medios sociales, se dejan amaestrar por sus inteligentes *influencers* para convertirse en ganado consumista. Han sido despolitizados. La comunicación en las redes sociales basada en algoritmos no es libre ni democrática. Esto conduce a una nueva incapacitación. El smartphone como aparato de sometimiento es todo menos un Parlamento móvil. Al publicar sin cesar información privada en un *escaparate móvil*, acelera la desintegración de la esfera pública. Produce zombis del consumo y la comunicación, en lugar de ciudadanos capacitados.

La comunicación digital provoca una reestructuración del flujo de información, lo cual tiene un efecto destructivo en el proceso democrático. La información se difunde sin pasar por el espacio público. Se produce en espacios privados y a espacios privados se envía. La red no forma una esfera pública. Los medios sociales amplían esta *comunica-*

ción sin comunidad. Ningún público político puede formarse a partir de *influencers* y *followers*. Las *communities* digitales son una forma de comunidad reducida a mercancía. En realidad, son *commodities*. No son capaces de *acción política* alguna.

La red digital carece de la estructura anfiteatral de los medios de comunicación convencionales, que agrupan los asuntos relevantes para la sociedad en su conjunto y atraen la atención de toda la población hacia ellos. Las fuerzas centrífugas que le son inherentes hacen que el público se desintegre en enjambres fugaces e interesados. Esto dificulta la acción comunicativa, que requiere públicos estables a gran escala.

Además de los problemas que acarrea el cambio estructural digital en la esfera pública, hay procesos sociales que son responsables de la crisis de la acción comunicativa. Según Hannah Arendt, el pensamiento político es «representativo» en el sentido de que «el pensamiento de los demás está siempre presente». La representación como *presencia del otro* en la formación de la propia opinión es constitutiva de la democracia como práctica *discursiva*: «Me formo una opinión tras considerar determinado tema desde diversos puntos de vista, recordando los criterios de los que están ausentes;

es decir, los represento».[2] En el discurso democrático es necesaria la *imaginación*, que me permite, «ser y pensar dentro de mi propia identidad tal como en realidad no soy».[3] El pensamiento que lleva a la formación de la opinión es, según Arendt, «genuinamente discursivo»,[4] por cuanto que hace igualmente presente la *posición del otro*. Sin la *presencia del otro*, mi opinión no es discursiva, no es representativa, sino autista, doctrinaria y dogmática.

La *presencia del otro* también es constitutiva de la acción comunicativa en el sentido de Habermas: «El concepto de "acción comunicativa" nos obliga a considerar a los actores también como hablantes y oyentes que se refieren a algo en el mundo objetivo, social o subjetivo, y, por tanto, hacen de forma recíproca afirmaciones de validez que pueden ser aceptadas y discutidas. Los actores ya no se refieren *directamente* a algo en el mundo objetivo, social o subjetivo, sino que relativizan su afirmación sobre algo en el mundo con la posibilidad de que su validez sea rebatida por *otros* actores».[5] Hacerlo *directamente* o *desde sí mismo* no es un *movimiento discursivo*. Es ser ciego al discurso. El discurso es un movimiento de *ida y vuelta*. La palabra latina *discursus* significa «discurrir», «moverse por», *ir por ahí*. En el discurso, *el otro* nos desvía, en un sentido positivo, de nuestras propias convicciones. Solo la *voz del otro* presta a mi afirmación, a mi opinión, una cualidad discursiva. En la acción comunicativa, debo ser consciente de la posibilidad de que mi discurso sea cuestionado por otro. Un enunciado sin signo de interrogación no tiene carácter discursivo.

En un metaplano más esencial, la crisis actual de la acción comunicativa se debe al hecho de que *el otro está en trance de desaparición*. La desaparición del otro significa el fin del discurso. Este hecho priva a la opinión de la racionalidad comunicativa. La expulsión del otro refuerza la compulsión autopropagandística de adoctrinarse con las propias ideas. Este autoadoctrinamiento produce infoburbujas autistas que dificultan la acción comunicativa. Si la compulsión de la autopropaganda aumenta, los espacios del discurso se ven cada vez más desplazados por cámaras de eco en las que la mayoría de las veces me oigo hablar a mí mismo.

El discurso requiere separar la opinión propia de la identidad propia. Los individuos que no poseen esta capacidad discursiva se aferran desesperadamente a sus opiniones, porque, de lo contrario, su identidad se ve amenazada. Por ello, el intento de hacerles cambiar de opinión está condenado al fracaso. No oyen al *otro* o no lo *escuchan*. Pero la práctica del discurso consiste en *escuchar*. La crisis de la democracia es ante todo una *crisis del escuchar*.

Según Eli Pariser, lo que está destruyendo el espacio público es la personalización algorítmica de la red: «La nueva generación de filtros de internet se fija en lo que parece que a usted le gusta —cómo ha sido de activo en la red o qué cosas o personas le gustan— y saca las conclusiones pertinentes. Las máquinas pronosticadoras crean y refinan continuamente una teoría sobre su personalidad y predicen lo siguiente que usted querrá hacer. Juntas, estas máquinas crean un universo único de información para cada uno de nosotros —lo que llamo el "filtro burbuja"— y cambian fundamentalmente el modo en que accedemos a las ideas y a la información».[6] Cuanto más tiempo paso en internet, más se llena mi filtro burbuja de información que me gusta, que refuerza mis creencias. Solo se me muestran aquellas visiones del mundo que están conformes con la mía. El filtro corta el paso a otras informaciones. De ese modo, el filtro burbuja me enreda en un «bucle del ego» permanente.

Eli Pariser ve en la personalización de la red una amenaza a la propia democracia. Las cuestiones socialmente relevantes que quedan fuera del interés individual inmediato son, afirma Pariser, la base y la razón de ser de la democracia. La personalización de internet hace que nuestro mundo y nuestro horizonte de experiencias sean cada vez más pequeños y limitados. Ello conduce a la desintegración de la esfera pública democrática: «En el filtro burbuja, la esfera pública —el ámbito donde se identifican y abordan los problemas comunes— simplemente es menos relevante».[7]

El punto débil de la teoría del filtro burbuja es que atribuye el estrechamiento del horizonte de la experiencia en la sociedad de la información únicamente a la personalización algorítmica de la red. Al contrario de lo que supone Pariser, la desintegración de la esfera pública *no es un problema puramente técnico*. La personalización de los resultados de búsquedas y *newsfeeds* solo desempeña un papel mínimo en este proceso de desintegración. El autoadoctrinamiento y la autopropaganda tienen ya lugar *offline*.

La creciente atomización y narcisificación de la sociedad nos hace sordos a la *voz del otro*. También conduce a la *pérdida de la empatía*. Hoy todo el mundo se entrega al culto del yo. Todos los individuos se representan y se producen a sí mismos. No es la personalización algorítmica de la red, sino la *desaparición del otro*, la *incapacidad de escuchar*, lo que provoca la crisis de la democracia.

La situación discursiva en la que se busca el entendimiento no está exenta de condiciones y contextos. Es patente que se halla rodeada de un horizonte de presupuestos culturales o prácticas socialmente asimiladas que determinan *prerreflexivamente* la acción comunicativa. Habermas llama a este horizonte de patrones de interpretación concordantes el «mundo de la vida». Este mundo crea un consenso de fondo que estabiliza la acción comunicativa: «Cuando hablantes y oyentes se comunican entre sí frente a frente sobre algo en un mundo, se mueven dentro del horizonte de su mundo vital común; este permanece entre los participantes como un fondo holístico intuitivamente conocido, aproblemático e integral. La situación del habla es una sección temáticamente delimitada de un mundo de la vida, un mundo que crea un *contexto* y proporciona *recursos* para los procesos de comunicación orientada al entendimiento. El mundo de la vida define un horizonte y, al mismo tiempo, ofrece un repertorio de supuestos culturales».[8]

Un mundo de la vida intacto solo es posible en una sociedad relativamente homogénea que comparte los mismos valores y tradiciones culturales. La globalización y la consiguiente *hiperculturalización* de la sociedad están ya disolviendo los contextos culturales y las tradiciones que nos anclan en un común mundo de la vida.[9] Las ofertas convencionales de identidad con una validez prerreflexiva ya no existen hoy. Ya no somos *proyectados* a un mundo que encontramos natural y aproblemático. La idea de mundo es ahora una cuestión de *proyecto*, de diseño. El horizonte holístico percibido como algo imposible de desintegrar está sujeto a un proceso de radical fragmentación. Junto con la globalización, la digitalización y la creación de redes están acelerando la desintegración del mundo de la vida. La creciente *desfactificación y descontextualización* del mundo de la vida destruye ese «fondo holístico» de la acción comunicativa. La desaparición de la facticidad del mundo de la vida complica enormemente la comunicación orientada al entendimiento.

Ante la desfactificación del mundo de la vida, surgen necesidades y esfuerzos para organizar espacios en la red en los que vuelvan a ser posibles las experiencias de identidad y comunidad, es decir, para establecer *un mundo de la vida basado en la red* que se perciba como natural y aproblemático. La red queda entonces *tribalizada*. La tribalización de la red como *refactificación del mundo de la vida* está especialmente extendida en el campo de la derecha, donde la demanda de identidad del mundo vital es mayor. El campo liberal de los cosmopolitas parece arreglárselas sin la tribalización del mundo de la vida. En el campo de la derecha, incluso las teorías de la conspiración son tomadas como *ofertas de identidad*. Las tribus digitales hacen posible una fuerte experiencia de identidad y pertenencia. Para ellas, la información no es *un recurso para el conocimiento, sino un recurso para la identidad*.[10] Las teorías de la conspiración son especialmente apropiadas para la formación de biotopos tribalistas en la red, porque hacen posible las delimitaciones y exclusiones que son constitutivas del tribalismo y su política identitaria.

La delimitación y el cierre tribalista en la red no son el resultado de la personalización algorítmica de la red. No puede atribuirse a los efectos del filtro burbuja. Las tribus digitales se encierran en sí mismas seleccionando la información y utilizándola para su política de identidad. Contrariamente a la tesis del filtro burbuja, ellas se enfrentan en sus infoburbujas a hechos que contradicen sus creencias. Pero simplemente los ignoran porque no encajan en el relato creador de identidad, pues abandonar las convicciones supone la pérdida de la identidad, algo que debe evitarse a toda costa. Así, los colectivos identitarios tribalistas rechazan todo discurso, todo diálogo. El entendimiento ya no es posible. Las opiniones expresadas no son discursivas, sino *sagradas*, porque coinciden plenamente con su identidad, algo a lo que no pueden renunciar.

En la acción comunicativa, cada participante supone la validez de sus convicciones. Si no es aceptada por otros, se abre un debate discursivo. Este es un acto comunicativo que intenta llegar a un entendimiento entre las diferentes pretensiones de validez. En él se emplean argumentos destinados a justificar o rechazar las pretensiones de validez. La racionalidad inherente al discurso se denomina *racionalidad comunicativa*.

La pretensión de validez de las tribus digitales como colectivos identitarios no es discursiva, sino absoluta, porque carece de racionalidad comunicativa. En esta se dan ciertas reglas. Respecto a la opinión expresada, presupone tanto la capacidad de criticar como la de justificar: «Una afirmación cumple con el requisito previo de la racionalidad si, y solo si, se funda en un conocimiento falible, si hace, por tanto, referencia al mundo objetivo, es decir, a hechos, y es compatible con un juicio objetivo».[11] En el universo posfactual de las tribus digitales, un enunciado ya no hace referencia alguna a hechos. Prescinde así de toda racionalidad. No es criticable ni está obligado a justificar lo que sostiene. Sin embargo, los que lo *respaldan* reafirman su sentimiento de *pertenencia*. El discurso es así sustituido de este modo por la *creencia y la adhesión*. Fuera del territorio tribal solo hay enemigos, *otros* a los que combatir. El tribalismo actual, que puede observarse no solo en las políticas identitarias de derechas, sino también en las de izquierdas, divide y polariza a la sociedad. Convierte la identidad en un escudo o fortaleza que rechaza cualquier alteridad. La progresiva tribalización de la sociedad pone en peligro la democracia. Conduce a una *dictadura tribalista de opinión e identidad* que carece de toda racionalidad comunicativa.

La comunicación actual es cada vez menos discursiva, puesto que pierde cada vez más la *dimensión del otro*. La sociedad se está desintegrando en *irreconciliables identidades sin alteridad*. En lugar de discurso, tenemos una *guerra de identidades*. La sociedad pierde así lo que tiene en común, incluso su sentido comunitario. *Ya no nos escuchamos. Escuchar* es un acto político en la medida en que integra a las personas en una comunidad y las capacita para el discurso. Crea un «nosotros». La democracia es una *comunidad de oyentes*. La comunicación digital como *comunicación sin comunidad* destruye la política basada en *escuchar*. Entonces solo nos escuchamos a nosotros mismos. Eso sería el fin de la acción comunicativa.

RACIONALIDAD DIGITAL

Los dataístas creen que no solo la desintegración de la esfera pública, sino también la gran masa de información, así como la rápidamente creciente complejidad de la sociedad de la información, hacen que la idea de la acción comunicativa quede obsoleta: «La sociedad del siglo XXI es demasiado compleja, y gracias a la tecnología de la información esta complejidad es *claramente visible como tal*. [...] La información que hay que procesar se ha vuelto tan vasta que supera la "racionalidad limitada" de los individuos. Como resultado, la comunicación interpersonal en la vida cotidiana se ha paralizado tanto que los supuestos postulados por Arendt y Habermas difícilmente pueden tener validez en la realidad. [...] En la sociedad actual, los ciudadanos ya no son capaces de creer en un fondo común de discusión que permita iniciar una discusión. Ya no pueden siquiera suponer que están participando en esa discusión como miembros de la misma comunidad. La esfera pública que Arendt y Habermas presentan como ideal ni siquiera existe».[1]

Ante la erosión de la acción comunicativa, Habermas ha expresado abiertamente su perplejidad: «Simplemente no sé qué podría ser en el mundo digital un equivalente funcional de la estructura comunicativa de las vastas esferas públicas políticas formadas desde el siglo XVIII y que ahora está a punto de desmoronarse. [...] ¿Cómo mantener una esfera pública en el mundo virtual de la red descentralizada [...], una esfera pública con circuitos de comunicación que *incluyan* a la población?».[2] Huyendo hacia delante, los dataístas seguramente imaginarán una racionalidad que se las arreglara sin acción comunicativa. Ven en el *big data* y la inteligencia artificial un *equivalente funcional* de la esfera pública discursiva hoy a punto de desmoronarse, pero que deja obsoleta la teoría de la acción comunicativa de Habermas. El discurso se sustituye por los datos. El procesamiento algorítmico del *big data* tiene que incluir a la población. Los dataístas incluso afirmarían que la inteligencia artificial *escucha mejor* que los humanos.

A la forma de racionalidad que prescinde de la comunicación, del discurso, podemos llamarla *racionalidad digital*. Se opone a la racionalidad comunicativa, que conduce el discurso. Lo que constituye la racionalidad comunicativa es, además de la capacidad de razonar, la disposición a aprender. Así lo expresa Habermas: «Los enunciados racionales, por ser criticables, son también *susceptibles de mejora*: podemos corregir los intentos fallidos si logramos identificar los errores que cometemos. El concepto de *razonamiento* se entrelaza con el de *aprendizaje*. La argumentación también desempeña un papel importante en los procesos de aprendizaje. Así, llamamos "racional" a una persona que expresa opiniones razonadas y actúa eficazmente en el ámbito cognitivo-instrumental; por sí sola, esta racionalidad será accidental si no va acompañada de la capacidad de aprender de los fallos, de la refutación de hipótesis y del fracaso en las intervenciones».[3] La inteligencia artificial no razona, sino que computa. Los algoritmos sustituyen a los argumentos. Los argumentos pueden *mejorarse* en el proceso discursivo. Los algoritmos, en cambio, se *optimizan* continuamente en el proceso maquinal. Esto les permite corregir sus errores de forma independiente. La racionalidad digital sustituye el aprendizaje discursivo por el *machine learning*. Los algoritmos imitan así los argumentos.

Desde la perspectiva dataísta, el discurso no es más que una forma lenta e ineficiente de procesar la información. Las pretensiones de validez de los participantes en el discurso se basan igualmente en un procesamiento insuficiente de la información. La acción comunicativa, afirmarían los dataístas, solo es posible en el marco de una cantidad abarcable de información, porque el entendimiento humano finito no está en condiciones de procesar una gran cantidad de información, y la digitalización conduce a una *proliferación informativa* que desborda el marco discursivo.

Los dataístas creen que el *big data* y la inteligencia artificial nos permiten tener una visión divina y global que capta con precisión todos los procesos sociales y los optimiza para el bien de todos. Alex Pentland, director del Human Dynamics Lab, del Massachusetts Institute of Technology (MIT), un acérrimo dataísta, escribe en su libro *Social Physics. How Good Ideas Spread – The Lessons from a New Science*: «Con el *big data* tenemos la capacidad de ver la sociedad en toda su complejidad a través de los millones de interconexiones de los intercambios humanos. Si tuviéramos un "ojo divino", una visión global, podríamos lograr una verdadera comprensión del funcionamiento de la sociedad y tomar medidas para resolver nuestros problemas».[4]

El discurso, dirigido por el entendimiento humano, palidece ante la visión divina del *big data*. El conocimiento digital total hace que el discurso sea superfluo. Los dataístas oponen a la teoría de la acción comunicativa de Habermas una *teoría behaviorista de la información* que prescinde del discurso. La visión dataísta del mundo no incluye al individuo que actúa racionalmente, que pretende hacer una afirmación válida y la defiende con argumentos.

La minería de datos entre el *big data* y la inteligencia artificial encuentra soluciones óptimas a los problemas y conflictos de una sociedad concebida como un sistema social predecible, que deparan ventajas para todos los participantes, pero a las que ellos solos no habrían llegado debido a su limitada capacidad para procesar la información. Así, el *big data* y la inteligencia artificial toman decisiones más inteligentes, incluso más *racionales*, que los individuos humanos, cuya capacidad para procesar grandes cantidades de información es limitada. Desde el punto de vista dataísta, la racionalidad digital es muy superior a la comunicativa.

Los dataístas están convencidos de que, por primera vez en la historia, la humanidad dispone de los datos que le permitirán un conocimiento total de la sociedad. Nos prometen un mundo sin guerras ni crisis financieras, en el que incluso las enfermedades infecciosas podrán detectarse y detenerse rápidamente. Pentland escribió en 2014 que los datos por sí solos podrían evitar las muertes masivas debidas a una pandemia de gripe. Sin embargo, son las preocupaciones por la esfera privada las que se cruzan en el camino de un progreso civilizador decisivo: «Los principales obstáculos para alcanzar estas metas son las dudas en torno a la privacidad y el hecho de que todavía no tengamos un consenso sobre el modo de equilibrar los valores personales y sociales. No podemos ignorar los bienes públicos que un sistema sensorial de este tipo podría proporcionar. Cientos de millones de personas podrían morir en la próxima pandemia de gripe, y está claro que ahora tenemos los medios para contener tales catástrofes. En consecuencia, no solo tenemos la capacidad de reducir drásticamente el consumo de energía en las ciudades, sino [...] hasta de diseñar ciudades y comunidades de forma que se reduzcan sus índices de criminalidad al tiempo que aumentan la productividad y la creatividad».[5]

Los dataístas imaginan una sociedad que puede *prescindir por completo de la política*. Si un sistema social, argumentarían, tiene suficiente estabilidad, es decir, si existe una amplia conformidad con el sistema en todos los niveles de la sociedad, no es necesaria la acción política en el sentido enfático, la cual tendría que crear una nueva situación social. Cuando los conflictos de clase y de intereses disminuyen, los partidos pierden su importancia. Cada vez se parecen más. Los partidos y las ideologías, seguirían argumentando los dataístas, solo tienen sentido en una sociedad en la que prevalecen las desigualdades sistémicas, como una política distributiva demasiado injusta o diferencias de clase. Desde la perspectiva dataísta, la democracia de partidos dejará de existir en un futuro próximo. Dará paso a la *infocracia como posdemocracia digital*. Los políticos serán entonces sustituidos por expertos e informáticos que *administrarán* la sociedad más allá de los principios ideológicos e independientemente de los intereses del poder. La política será sustituida por la *gestión de sistemas basada en datos*. Las decisiones socialmente relevantes se tomarán utilizando el *big data* y la inteligencia artificial. Seguirá habiendo discursos políticos, pero serán algo secundario. No más discurso y más comunicación, sino más datos y más algoritmos inteligentes, es lo que promete la optimización del sistema social, y hasta la *felicidad de todos*.

Entusiasmado con el método estadístico del siglo XVIII, Rousseau propuso una *racionalidad aritmética* «sin comunicación» (*aucune communication*). Esta se oponía a la racionalidad comunicativa. Rousseau concebía la voluntad general (*volonté générale*) como una magnitud puramente numérico-matemática que se encontraría objetivada más allá de la acción comunicativa. No la comunicación, sino una operación aritmética, es decir, un algoritmo, determina la voluntad general. En el *Contrato social* Rousseau escribió: «Hay, con frecuencia, bastante diferencia entre la voluntad de todos y la voluntad general. Esta no tiene en cuenta sino el interés común; la otra se refiere al interés privado, y no es sino una suma de voluntades particulares. Pero quitad de estas mismas voluntades el más y el menos, que se destruyen mutuamente, y queda como suma de las diferencias la voluntad general».[6] Rousseau sostenía explícitamente que la determinación de la voluntad general debía llevarse a efecto «sin comunicación», es más, debía excluirla. El hecho de que los ciudadanos no se comuniquen entre sí, de que no se produzca ningún discurso, es la condición de la posibilidad de determinar la voluntad general. Toda comunicación deforma la imagen de la voluntad general. Rousseau prohibía incluso la formación de partidos y asociaciones políticas, porque eliminan las «diferencias» en su favor. Cada cual debía mantener su propia convicción, su opinión individual, en lugar de participar en un discurso: «Las diferencias se reducen y dan un resultado menos general. Finalmente, cuando una de estas asociaciones es tan grande que excede a todas las demás, no tendrá como resultado una suma de pequeñas diferencias sino una diferencia única; entonces no hay ya voluntad general, y la opinión que domina no es sino una opinión particular. Importa, pues, para poder fijar bien el enunciado de la voluntad general, que no haya ninguna sociedad parcial en el Estado y que cada ciudadano opine exclusivamente según él mismo».[7]

Traducida al lenguaje de los dataístas, la tesis de Rousseau es la siguiente: cuantos más datos diferentes se obtengan, más auténtica será la voluntad general determinada. El discurso, en cambio, distorsiona el resultado. Rousseau es, pues, el primer dataísta. Su racionalidad aritmética, que prescinde por completo del discurso y de la comunicación, se acerca a la racionalidad digital. Los estadísticos de

Rousseau son sustituidos en el régimen de la información por los informáticos. La inteligencia artificial, utilizando el *big data*, determina la voluntad general, es decir, calcula el «interés general» de una sociedad.

La racionalidad comunicativa se basa en la autonomía y la libertad del individuo. Los dataístas, en cambio, defienden un conductismo digital que rechaza la idea de un individuo libre que actúa de forma autónoma. Como conductistas, creen que el comportamiento de un individuo puede predecirse y controlarse con precisión. El conocimiento total torna obsoleta la libertad del individuo: «Su abolición ha sido diferida demasiado tiempo. El hombre autónomo es un truco utilizado para explicar lo que no podíamos explicarnos de ninguna otra forma. Lo ha construido nuestra ignorancia, y conforme va aumentando nuestro conocimiento, va diluyéndose progresivamente la materia misma de que está hecho. […] Al hombre en cuanto hombre, gustosamente lo abandonamos. Solo desposeyéndolo podemos concentrar nuestra atención en las causas verdaderas de la conducta humana. Solo entonces descartaremos las inferencias, para fijarnos en los datos observados, nos olvidaremos de lo milagroso para preocuparnos de lo natural, nos despreocuparemos de lo inaccesible para preocuparnos de lo que sea posible manejar».[8]

Contrariamente a la racionalidad comunicativa, la racionalidad digital no tiene su punto de partida en el individuo, sino en el colectivo. Desde un punto de vista dataísta, el individuo que actúa de forma autónoma es una ficción: «Es hora de que abandonemos la ficción del individuo como unidad básica de la racionalidad y reconozcamos que nuestra racionalidad está determinada en gran medida por la estructura social que nos rodea».[9] Nuestro comportamiento está sujeto a las leyes de la física social. Los dataístas sostienen que los humanos no son por principio diferentes de las abejas y los monos: «La fuerza de la física social proviene del hecho de que nuestras acciones diarias son casi universalmente habituales y se basan en gran medida en lo que hemos aprendido observando el comportamiento de los demás. [...] Es decir, podemos observar a los humanos igual que observamos a los monos o a las abejas, y podemos derivar reglas referidas al comportamiento, las respuestas y el aprendizaje».[10]

Alex Pentland amplía la minería de datos con la «minería de la realidad». A los seres humanos se les equipa con los llamados «sociómetros», que registran de forma minuciosa su comportamiento, incluido el lenguaje corporal, y generan así enormes cantidades de datos sobre el comportamiento. La «minería de la realidad» con sensores digitales hace que toda la sociedad sea calculable y controlable: «Dentro de unos años probablemente dispongamos de datos completos sobre el comportamiento de casi toda la humanidad —y, además, sin interrupción—. [...] Y, una vez que hayamos desarrollado una forma más precisa de visualizar los patrones de la vida humana, podremos esperar entender y controlar nuestra sociedad moderna de una manera más adecuada a nuestra compleja red de hombre y tecnología».[11]

Los dataístas conciben la sociedad como un organismo funcional. Solo una mayor complejidad lo distingue de otros organismos. Dentro de la sociedad como organismo no hay pretensiones de validez. No hay discurso entre los órganos. Lo único que cuenta es un *intercambio eficaz de información* entre unidades funcionales que garantiza un mayor beneficio. La política y la gobernanza son sustituidos por la planificación, el control y el condicionamiento.

La visión conductista del ser humano no es fácil de conciliar con los principios democráticos. En el universo dataísta, la democracia cede al avance de una *infocracia basada en datos* y preocupada por optimizar el intercambio de información. Los análisis de datos mediante inteligencia artificial sustituyen a la esfera pública discursiva, lo que significaría el fin de la democracia. Shoshana Zuboff se opone empáticamente a la imagen dataísta del hombre: «Si queremos renovar la democracia en las próximas décadas, necesitamos un sentimiento de indignación, una sensación de pérdida de lo que nos están quitando. […] Lo que aquí está en juego es la expectativa que cada ser humano abriga de ser dueño de su propia vida y autor de su propia experiencia. Lo que está en juego es la experiencia interior con la cual conformamos nuestra voluntad de querer y los espacios públicos en los que actuar de acuerdo con esa voluntad».[12]

A los dataístas, este apasionado compromiso con la libertad y la democracia les sonará como una voz fantasmal de una época ya pasada. La idea del hombre basada en la autonomía y la libertad individuales, en la «voluntad de querer», habrá durado relativamente poco desde una perspectiva dataísta. Los dataístas secundarían esa idea de la muerte del hombre que ya Foucault desarrollaba en *Las palabras y las cosas*: «El hombre es una invención cuya fecha reciente muestra con toda facilidad la arqueología de nuestro pensamiento. Y quizá también su próximo fin [...], entonces podría apostarse a que el hombre se borraría, como en los límites del mar un rostro de arena».[13] Ese mar, cuyas olas borran el rostro en la arena, es ahora un inacabable mar de datos. El hombre se diluye en él; en un triste registro de datos.

LA CRISIS DE LA VERDAD

Un nuevo *nihilismo* se extiende en nuestros días. No se debe a que las creencias religiosas o los valores tradicionales estén perdiendo su validez. Ya hemos superado ese *nihilismo de los valores* que Nietzsche anunció con expresiones como «Dios ha muerto» o la «transvaloración de todos los valores». El nuevo nihilismo es un fenómeno del siglo XXI. Es fruto de las *distorsiones patológicas de la sociedad de la información*. Se alza cuando perdemos la fe en la propia verdad. En la era de las *fake news*, la desinformación y la teoría de la conspiración, la realidad y las verdades fácticas se han esfumado. La información circula ahora, completamente desconectada de la realidad, en un espacio hiperreal. Se pierde la creencia en la *facticidad*. Vivimos en un universo *desfactificado*. Junto con las verdades fácticas desaparece también el *mundo común* al que podríamos referirnos en nuestras acciones.

A pesar de su radicalismo, la crítica de Nietzsche a la verdad no pretende su destrucción, pues no niega la propia verdad. Solo expone su origen moral. La verdad se *deconstruye*, es decir, se *reconstruye* genealógicamente. La verdad es, según Nietzsche, una construcción social que sirve para hacer posible la convivencia humana. La dota de un fundamento existencial: «El *impulso a la verdad* comienza con la observación intensa de cómo se contrapone el mundo verdadero y el de la mentira, y cómo toda vida humana es insegura cuando la verdad-convención no tiene validez en absoluto: es una convicción moral de la necesidad de una convención fija para que pueda existir una sociedad humana. Si el *estado de guerra* debe cesar en cualquier parte, entonces debe comenzar con la fijación de la verdad, es decir, con una *designación* válida y vinculante de las cosas. El mentiroso usa las palabras para hacer que lo irreal aparezca como real, es decir, hace un uso impropio del fundamento sólido».[1] La verdad impide que las diferentes pretensiones de validez conduzcan a un *bellum omnium contra omnes*, a la *división total de la sociedad*. Como convención necesaria, mantiene unida a la sociedad.

La crítica de Nietzsche a la sociedad sería hoy más radical. Nos corroboraría que entretanto hemos perdido por completo el *impulso a la verdad*, la *voluntad de verdad*. Solo una sociedad intacta desarrolla el impulso a la verdad. La disminución de este impulso y la disgregación de la sociedad están interconectados. La crisis de la verdad se extiende cuando la sociedad se desintegra en agrupaciones o tribus entre las cuales ya no es posible ningún entendimiento, ninguna *designación vinculante de las cosas*. En la crisis de la verdad, se pierde el mundo común, incluso el lenguaje común. La verdad es un regulador social, una idea reguladora de la sociedad.

El nuevo nihilismo es un síntoma de la sociedad de la información. La verdad ejerce una fuerza centrípeta que mantiene unida a una sociedad. Y la fuerza centrífuga inherente a la información tiene un efecto destructivo sobre la cohesión social. El nuevo nihilismo se gesta dentro del proceso destructivo en el que *el discurso se desintegra en información*, lo que conduce a la *crisis de la democracia*.

El nuevo nihilismo no supone que la mentira se haga pasar por verdad o que la verdad sea difamada como mentira. Más bien socava la distinción entre verdad y mentira. Paradójicamente, quien miente de forma consciente y se opone a la verdad la reconoce. La mentira solo es posible cuando la distinción entre la verdad y la mentira permanece intacta. El mentiroso no pierde su conexión con la verdad. Su fe en la realidad no se tambalea. El mentiroso no es un nihilista. No cuestiona la verdad en sí misma. Cuanto más decididamente miente, más se reafirma la verdad.

Las noticias falsas no son mentiras. Atacan a la propia facticidad. Desfactifican la realidad. Cuando Donald Trump afirma sin tapujos cualquier cosa que le convenga, no es el clásico mentiroso que tergiversa de manera deliberada las cosas. Más bien es indiferente a la verdad de los hechos. Quien es ciego ante los hechos y la realidad es un peligro mayor para la verdad que el mentiroso.

El filósofo estadounidense Harry Frankfurt calificaría hoy a Trump de *bullshitter*. El *bullshitter*, el charlatán, no se opone a la verdad. Más bien es del todo indiferente ante la verdad. Sin embargo, la explicación de Frankfurt de por qué hay tanta *bullshit* hoy resulta inadecuada: «La *bullshit* es inevitable cuando las circunstancias obligan a la gente a hablar de cosas de las que no saben nada. Así, la producción de *bullshit* se ve estimulada cuando una persona se ve en la tesitura, o en la obligación, de tener que hablar de un tema que excede su nivel de conocimiento de los hechos relevantes sobre él. [...] En la misma dirección va la creencia generalizada de que en una democracia los ciudadanos están obligados a formarse opiniones sobre todos los temas imaginables, o al menos sobre todas aquellas cuestiones que son relevantes para los asuntos públicos».[2] Si la *bullshit* se debe a un conocimiento insuficiente de los hechos, Trump no es un *bullshitter*. Al parecer, Harry Frankfurt no reconoce la crisis actual de la verdad. Esta no puede atribuirse a la discrepancia entre los conocimientos y los hechos o al escaso conocimiento de la realidad. La crisis de la verdad hace que la fe en los propios hechos se tambalee. Las opiniones pueden ser muy dispares; pero son legítimas, siempre que «respeten la verdad factual».[3] La libertad de expresión, en cambio, degenera en farsa cuando pierde toda referencia a los hechos y a las verdades fácticas.

La erosión de la verdad comenzó mucho antes de la política de *fake news* de Trump. En 2005, *The New York Times* recurrió al neologismo *truthiness* como una de esas palabras que captan el espíritu de la época. La *truthiness* refleja la crisis de la verdad. Se refiere a la verdad como impresión subjetiva que carece de toda objetividad, de toda solidez factual.

La arbitrariedad subjetiva que la constituye suprime la verdad. En ella se expresa la actitud nihilista hacia la realidad. Es un fenómeno patológico de la digitalización. No pertenece a la cultura de los libros. Es justo la digitalidad la que erosiona lo fáctico. El presentador de televisión Stephen Colbert, que acuñó la palabra *truthiness*, comentó en una ocasión: «I don't trust books. They're all fact, no heart». Trump sería así un *presidente del corazón* que hace poco uso de la mente. El corazón no es un órgano de la democracia. Cuando las emociones y los afectos dominan el discurso político, la propia democracia está en peligro.

En *Los orígenes del totalitarismo*, Hannah Arendt decía que «Hitler difundió en millones de ejemplares que las mentiras solo pueden tener éxito si son enormes, es decir, si no se contentan con negar determinados hechos dentro de un contexto fáctico que se deja intacto, en cuyo caso la facticidad intacta siempre saca a la luz las mentiras, sino si mienten sobre la entera facticidad, de tal manera que todos los hechos concretos sobre los que se miente en un contexto coherente sustituyen el mundo real por otro ficticio».[4] Hitler no era, según Arendt, un mentiroso corriente. Era capaz de esas mentiras que, en su *enormidad* y *totalidad*, producen una nueva realidad. Quien inventa una nueva realidad no miente en el sentido ordinario.

Sin embargo, la relación entre ideología y verdad es mucho más compleja de lo que piensa Arendt. La ideología se viste de verdad. Así, Hitler también reivindicaba decididamente la verdad. No se abandona la verdad como instancia. Hitler difundía su ideología racista precisamente en nombre de la verdad. Siempre hacía que su propaganda apareciese bajo la luz de la verdad. Hay verdades, escribía Hitler, que están tan en la calle que por eso mismo no son vistas, o al menos no son reconocidas, en el mundo ordinario. Este pasa ante ellas a ciegas y se asombra cuando alguien descubre de repente lo que todo el mundo debería saber. Hitler utilizaba profusamente en *Mi lucha* la palabra «verdad». Se consideraba «guardián de una verdad superior»[5] o de la «verdad radical».[6] Se distanciaba del «representante de la mentira y la calumnia»[7] y se presentaba como el heraldo de la verdad. Calificaba a los judíos en particular de «artistas de la mentira». Les acusaba de ser difusores de una mentira total, pues su existencia se basaba en «una sola gran mentira».[8]

Incluso en el Estado totalitario de Orwell, la verdad persiste como instancia. Se basa en una enorme mentira que se presenta como verdad. El protagonista, Winston Smith, dice: «Y si todos los demás aceptaban la mentira que impuso el partido, si todos los testimonios decían lo mismo, entonces la mentira pasaba a la historia y se convertía en verdad».[9] El partido miente, pero la enormidad de la mentira la convierte en verdad. Sigue haciendo uso de la instancia de la verdad. Así, el Ministerio de la Verdad desempeña un papel central en la distopía de Orwell. Tiene su sede en un enorme edificio piramidal escalonado de reluciente hormigón blanco que se eleva trescientos metros hacia el cielo. Ese edificio domina el paisaje urbano. Contiene tres mil habitaciones. El Ministerio de la Verdad se ocupa de las noticias, el ocio, la educación y las artes. Suministra a la población periódicos, películas, música, teatro y libros. Distribuye periódicos de escaso valor que contienen casi exclusivamente historias de crímenes y deportes, novelas baratas y canciones sentimentales de moda. Así se pretende evitar el pensamiento independiente de la población. En el Ministerio de la Verdad hay incluso todo un departamento que produce pornografía en enormes cantidades. Utiliza la pornografía como herramienta de dominación. Los adictos al porno o al juego no se rebelan contra el poder.

La función capital del Ministerio de la Verdad es anular las verdades de hecho. La facticidad de los hechos queda anulada. Al ponerlo continuamente en consonancia con el presente, el pasado se desdibuja. Todos los documentos de los archivos se revisan sin cesar para ajustarlos a la línea actual del partido. Así, todos los registros existentes dan la razón al partido. El Ministerio de la Verdad practica la mentira total del modo más radical. No se limita a difundir *fake news* aisladas. Más bien mantiene a toda costa una realidad ficticia. Los hechos se desvirtúan o falsean hasta hacerlos encajar en el relato constructor de la realidad que el partido difunde.

En el Ministerio de la Verdad, Winston se encarga de llevar a cabo falsificaciones. Sustituye los hechos del pasado que son desfavorables para el partido por otros inventados. Después de inventar a una persona ficticia, llamada Ogilvy, mientras reescribe un artículo de periódico, se dice a sí mismo: «El camarada Ogilvy, que nunca había existido en el presente, era ya una realidad en el pasado, y cuando quedara olvidado en el acto de la falsificación, seguiría existiendo con la misma autenticidad, con pruebas de la misma fuerza que Carlomagno o Julio César».[10]

El fraude universal, la mentira total, también invade el lenguaje. Allí se inventa una neolengua (*newspeak*) que afianza la mentira total. El vocabulario se reduce de forma radical, y los matices lingüísticos se eliminan para impedir el pensamiento diferenciado. Los individuos quedan privados de la capacidad de reflejar en el pensamiento una realidad, un mundo, que no sea el del partido. En la mentira total, el propio lenguaje se retuerce y se adapta a la mentira. Las distinciones conceptuales claras se tornan imposibles. Así, los tres lemas del partido son: «La guerra es la paz. La libertad es la esclavitud. La ignorancia es la fuerza».[11]

Las *fake news* de Trump están lejos de las enormes mentiras que crean una nueva realidad. Trump apenas usa la palabra «verdad». No miente en nombre de la verdad. Sus hechos alternativos no se condensan en un relato, un relato ideológico. Les falta continuidad y coherencia narrativas. La política de *fake news* de Trump solo es posible en un *régimen informativo desideologizado*.

Hannah Arendt estaba todavía convencida de que los hechos, a pesar de su índole frágil, son «obstinados», de que tienen una «[extraña] resistencia», «resultado de algún desarrollo necesario que los hombres no pueden evitar —y por tanto no pueden hacer nada con respecto a ellos—».[12] La obstinación y la resistencia de los hechos son ahora cosa del pasado.

El orden digital suprime generalmente la firmeza de lo fáctico, incluso la *firmeza del ser*, al totalizar la *productibilidad*. En la productibilidad total no hay nada que no pueda evitarse. El mundo digitalizado, es decir, informatizado, es todo menos obstinado y resistente. Más bien se deja moldear y manipular a voluntad. *La digitalidad es diametralmente opuesta a la facticidad*. La digitalización debilita la conciencia de los hechos y de la facticidad, incluso la conciencia de la propia realidad. La *total productibilidad* es también la esencia de la fotografía digital. La fotografía analógica certifica al espectador el *ser* de lo que realmente *existe*. Da testimonio de la facticidad del «Esto ha sido».[13] Nos muestra lo que *realmente existe*. El «Esto ha sido» o el «Esto es ahora» es la *verdad de la fotografía*. La fotografía digital destruye la *facticidad como verdad*. *Produce* una nueva realidad que *no existe* al eliminar la realidad como referente.

La información por sí sola no explica el mundo. A partir de un punto crítico, incluso oscurece el mundo. Recibimos la información con la sospecha de que su contenido podría ser *diferente*. La información se acompaña de una *desconfianza básica*. Cuantas más informaciones distintas recibimos, mayor es la desconfianza. En la sociedad de la información perdemos esta confianza básica. Es una *sociedad de la desconfianza*.

La sociedad de la información refuerza la experiencia de la contingencia. La información carece de la *firmeza del ser*: «Su cosmología no es una cosmología del ser, sino de la contingencia».[14] La información es un concepto con dos caras. Una cabeza de Jano. Como antiguamente lo sagrado, tiene «un lado benéfico y otro aterrador». Conduce a una «comunicación paradójica», porque «reproduce la seguridad y la inseguridad». La información crea una *ambigüedad estructural básica*. Como señala Luhmann, «el patrón básico de ambivalencia adopta nuevas formas de un momento a otro, pero la ambivalencia sigue siendo la misma. ¿Es acaso esto lo que se entiende por "sociedad de la información?"».[15]

La información es *aditiva y acumulativa*. La verdad, en cambio, es *narrativa y exclusiva*. Existen cúmulos de información o basura informativa. La verdad, en cambio, no forma ningún cúmulo. La verdad no es *frecuente*. En muchos sentidos se opone a la información. Elimina la contingencia y la ambivalencia. Elevada a la categoría de relato, proporciona sentido y orientación. La sociedad de la información, en cambio, está vacía de sentido. Solo el *vacío* es *transparente*. Hoy estamos *bien informados*, pero desorientados. La información no tiene capacidad orientativa. Incluso una comprobación en toda regla de los hechos no puede establecer la verdad, ya que es algo más que la corrección o exactitud de una información. La verdad es, en última instancia, una promesa, como se expresa en las palabras bíblicas: «Yo soy el camino, la verdad y la vida».[16]

Incluso la verdad discursiva en el sentido de Habermas tiene una dimensión teleológica. Es la «promesa de alcanzar un consenso razonable en lo que se dice».[17] Como el «discurrir de la argumentación»[18] que es, el discurso decide sobre el contenido de verdad de las afirmaciones. La idea de la verdad se funda en que la pretensión de validez de las afirmaciones sea discursivamente admisible. Es decir, las afirmaciones deben resistir frente a posibles contraargumentos y encontrar el asentimiento de todos los posibles participantes en el discurso. La verdad discursiva como entendimiento y consenso garantiza la cohesión social. Estabiliza la sociedad al eliminar la contingencia y la ambivalencia.

La crisis de la verdad es siempre una crisis de la sociedad. Sin la verdad, la sociedad se desintegra *internamente*. Entonces se mantiene unida solo por relaciones económicas externas e instrumentales. Las evaluaciones mutuas, por ejemplo, que se practican hoy en todas partes, destruyen las relaciones humanas al someterlas a una absoluta comercialización. Todos los valores humanos se han vuelto en la actualidad económicos y comerciales. La sociedad y la cultura se están mercantilizando. La mercancía sustituye a la verdad.

La información o los datos por sí solos no *iluminan* el mundo. Su esencia es la transparencia. *La luz y la oscuridad* no son propiedades de la información. Se dan, como *el bien y el mal*, o la *verdad y la mentira*, en el espacio *narrativo*. La verdad en sentido enfático tiene un carácter narrativo. De ahí que, en la sociedad de la información desnarrativizada, pierda radicalmente su significado.

El fin de los grandes relatos, que da paso a la posmodernidad, se consuma en la sociedad de la información. *Las narraciones se desintegran y acaban en informaciones*. La información es lo contrario de la narración. El *big data* se opone al *gran* relato. No *narra* nada. «Digital» significa en francés *numérique*. Lo numérico y lo narrativo, lo contable y lo narrable, pertenecen a dos órdenes del todo diferentes.

Las teorías de la conspiración prosperan especialmente en situaciones de crisis. Hoy no solo existe una crisis económica y pandémica, sino también una *crisis narrativa*. Los relatos crean sentido e identidad. Por eso, la crisis narrativa conduce a un vacío de sentido, a una crisis de identidad y a una falta de orientación. Las teorías de la conspiración como *microrrelatos* proporcionan aquí un remedio. Se asumen como *recursos de identidad y significado*. Por eso se extienden sobre todo en el campo de la derecha, donde la necesidad de identidad es muy pronunciada.

Las teorías de la conspiración resisten a la verificación por los hechos porque son narraciones que, a pesar de su carácter ficticio, fundamentan la percepción de la realidad. Por tanto, son una narración de hechos. En ellas, la ficcionalidad se convierte en facticidad. Lo decisivo no es la facticidad, la verdad de los hechos, sino la coherencia narrativa que la hace creíble. Dentro de una teoría de la conspiración, que es un relato, la contingencia desaparece. Los relatos de la conspiración *suprimen* la contingencia y la complejidad, que son especialmente agobiantes en una situación de crisis. En la crisis pandémica, las meras cifras, como el «número de casos» o la «incidencia», acrecientan la incertidumbre porque no *explican* nada. El mero *recuento* despierta la necesidad de *narraciones*. De ahí que la crisis pandémica sea un caldo de cultivo para las teorías conspirativas. Con su explicación total o su mentira total, suprimen de golpe la agobiante incertidumbre y la inseguridad.

La democracia no es compatible con el nuevo nihilismo. Presupone un discurso de la verdad. Sin embargo, la infocracia puede prescindir de la verdad. En su última conferencia, que pronunció poco antes de morir, Foucault habló del «coraje de decir la verdad» (*parresía*) como si previera la próxima crisis de la verdad, en la que perderíamos la *voluntad de verdad*. La «verdadera democracia» se guía (Foucault se refiere al historiador griego Polibio) por dos principios, la *isegoría* y la *parresía*. La *isegoría* se funda en el derecho que tiene todo ciudadano a expresarse libremente. La *parresía*, decir la verdad, presupone la *isegoría*, pero va más allá del derecho constitucional a tomar la palabra. Permite a algunos individuos «[al dirigirse a los otros,] decirles lo que piensan, lo que consideran cierto, lo que estiman verdaderamente cierto».[19] La *parresía* obliga a las personas que actúan políticamente a decir lo que es verdad, a preocuparse por la comunidad, utilizando el «discurso racional, el discurso de verdad».[20] Quienes se manifiestan con valentía, a pesar de todos los riesgos que ello comporta, están ejerciendo la *parresía*. La *parresía* crea comunidad. Es esencial para la democracia. Decir la verdad es un acto genuinamente político. La democracia está viva mientras se ejerce la parresía: «En primer lugar, creo que hay que tener presente que esa parresía [...] está ante todo profundamente ligada a la democracia. Y podemos decir que hay una especie de circularidad entre democracia y parresía [...]. Para que haya democracia, es preciso que haya parresía. Pero a la inversa, [...] la parresía es uno de los rasgos característicos de la democracia. Es una de sus dimensiones internas».[21] La *parresía* como valor para decir la verdad, la «parresía valerosa» es la *acción política por excelencia*. A la verdadera democracia le es inherente algo *heroico*. Requiere de aquellas personas que se atreven a decir la verdad, a pesar del riesgo que ello supone. La llamada «libertad de expresión», en cambio, solo concierne a la *isegoría*. Solo la *libertad de decir la verdad* crea una verdadera democracia. Sin ella, la democracia se aproxima a la infocracia.

La política es también un juego de poder. La palabra *dynasteia* designa el ejercicio del poder, el «juego mediante el cual el poder se ejerce efectivamente en una democracia».[22] Sin embargo, en la democracia la *dynasteia* no es ciega. No es un fin en sí mismo. El juego del poder debe mantenerse en el marco de la *parresía*. Esta lo limita y lo abriga. Cuando el juego del poder cobra vida propia, la democracia está en peligro. Donald Trump, por ejemplo, encarna el poder político que ha perdido toda relación con la *parresía*. Como oportunista, está orientado únicamente a conseguir el poder. Las *fake news* se utilizan como un medio para conseguir poder.

Hoy la *parresía* degenera en una libertad concedida a todo el mundo para decir cualquier cosa; de hecho, cualquier cosa que a uno le guste o que le beneficie. Se hacen sin el menor escrúpulo afirmaciones que ni siquiera guardan relación con los hechos. La crítica de Platón a la democracia se dirige precisamente a esta forma de *parresía*. Según Platón, la democracia acaba produciendo una «ciudad llena de libertad y hablar franco (*eleutheria* y *parresía*)», una «ciudad abigarrada y variopinta», una «ciudad sin unidad en la cual cada uno da su opinión, sigue sus propias decisiones y se gobierna como quiere».[23] La democracia actual se encuentra en esta situación. Todo se puede afirmar sin más. Ello pone en peligro la unidad de la propia sociedad.

A la *parresía* entendida como libertad peligrosa de decir cualquier cosa, Platón opone la *parresía* buena y valerosa. El parresiasta se diferencia de todos aquellos oradores y políticos que, como populistas, buscan halagar al pueblo. Decir la verdad no está exento de peligro. Sócrates, en particular, encarnaba la *parresía* valerosa. En su discurso únicamente *le preocupaba la verdad*. Decir la verdad era su misión, de la que nunca se apartó hasta la muerte. Esto concordaba con su existencia como filósofo. Asumía el riesgo de morir. Foucault subraya enfáticamente el papel de Sócrates como parresiasta: «Tenemos aquí un ejemplo que prueba a las claras que, en democracia, uno se arriesga a morir si quiere decir la verdad en favor de la justicia y la ley. [...] Es cierto que la *parresía* es peligrosa, pero también es cierto que Sócrates tuvo el coraje de afrontar sus riesgos».[24]

La filosofía se despide hoy de la verdad, de la *preocupación por la verdad*. Cuando Foucault describe la filosofía como «una especie de periodismo radical»[25] y se ve a sí mismo como «periodista», la compromete, y se compromete él, a decir la verdad. *La filosofía es una forma de decir la verdad.* Los filósofos, según Foucault, se ocupan ineludiblemente del «hoy». Ejercen la *parresía* en relación con lo que *hoy* acontece. Cuando Hegel considera que la tarea de la filosofía es captar su época en conceptos, se ve a sí mismo como un periodista. La preocupación por el presente como preocupación por la verdad lo es, en última instancia, por el futuro: «Creo que somos nosotros [los filósofos] los que hacemos el futuro. El futuro es la forma en que respondemos a lo que está sucediendo, es la forma en que hacemos un movimiento consistente en convertir la duda en verdad».[26] La filosofía actual carece por completo de referencias a la verdad. Se aparta de la actualidad. Por eso es también una filosofía *sin futuro*.

Platón representa el *régimen de la verdad*. En su alegoría de la caverna, uno de los prisioneros es conducido fuera de esta última. El hombre liberado ve la *luz de la verdad* en el exterior y vuelve a la cueva para convencer a los demás prisioneros de la verdadera realidad. Aparece como un parresiasta, como un filósofo. Los prisioneros, sin embargo, no le creen y tratan de matarlo. La alegoría de la caverna concluye con estas palabras: «[Y si intentase desatarlos y conducirlos hacia la luz,] ¿no lo matarían, si pudieran tenerlo en sus manos y matarlo?».[27]

Hoy vivimos presos en una *caverna digital*, aunque creamos que estamos en libertad. Nos encontramos encadenados a la pantalla digital. Los prisioneros de la caverna platónica se hallan intoxicados por imágenes narrativas míticas. La caverna digital, en cambio, nos mantiene *atrapados en la información*. La *luz de la verdad* se apaga por completo. No existe un exterior de la caverna de la información. Un fuerte *ruido de información* difumina los *contornos del ser*. *La verdad no hace ruido*.

La verdad posee una temporalidad muy diferente de la de la información. Mientras que esta tiene una actualidad muy exigua, la *duración* caracteriza a la verdad. Por eso estabiliza la vida. Hannah Arendt subraya explícitamente el significado existencial de la verdad. La verdad nos proporciona un *sostén*. Es «el espacio en el que estamos y el cielo que se extiende sobre nuestras cabezas».[28] La tierra y el cielo pertenecen al orden terreno, que en la actualidad va siendo sustituido por el orden digital. Hannah Arendt habita todavía el orden terreno. Para Arendt, la verdad posee la *firmeza del ser*. En el orden digital, la verdad deja paso a la *fugacidad de la información*. Hoy vamos a tener que conformarnos con la información. Es evidente que la *época de la verdad* ha terminado. El régimen de la información está desplazando al régimen de la verdad.

En el Estado totalitario construido sobre una mentira total, decir la verdad es un acto revolucionario. El *coraje de decir la verdad* distingue al parresiasta. Sin embargo, en la sociedad de la información posfactual, el *pathos* de la verdad no va a ninguna parte. Se pierde en el ruido de la información. La verdad se desintegra en polvo informativo arrastrado por el viento digital. La verdad habrá sido un episodio breve.

NOTAS

EL RÉGIMEN DE LA INFORMACIÓN

1 Michel Foucault, *Überwachen und Strafen. Die Geburt des Gefängnisses*, Frankfurt, Suhrkamp, 1977, p. 173. [Traducción extraída de: Michel Foucault, *Vigilar y castigar. Nacimiento de la prisión*, México, Siglo XXI, 2005, p. 139, trad. de Aurelio Garzón del Camino].
2 *Ibid.*, p. 174 y s. [*Ibid.*, p. 140].
3 *Ibid.*, p. 304. [*Ibid.*, p. 240].
4 Michel Foucault, «196. Die Geburt der Sozialmedizin», en *Schriften in vier Bänden. Dits et Écrits*, vol. III, 1976-1979, Frankfurt, Suhrkamp, 2003, pp. 272-297; aquí, p. 275. [Traducción extraída de: Michel Foucault, «Nacimiento de la medicina social», *Estrategias de poder. Obras esenciales*, vol. III, Barcelona, Paidós, 1999, pp. 363-

384, p. 366, trad. de Fernando Álvarez Uría y Julia Varela].
5 M. Foucault, *Überwachen und Strafen...*, p. 279. [*Ibid.*, p. 220].
6 *Ibid.*, p. 241. [*Ibid.*, p. 192].
7 *Ibid.*, p. 258. [*Ibid.*, p. 204].
8 Vilém Flusser, *Dinge und Undinge. Phänomenologische Skizzen*, Múnich, Hanser, 1993, p. 87. [Hay trad. cast. parcial: *Vilém Flusser y la cultura de la imagen. Textos escogidos*, «Lengua y realidad», Breno Onetto Muñoz, ed., Valdivia (Chile), Universidad Austral de Chile (UACh), 2016].
9 Hannah Arendt, *Elemente und Ursprünge totaler Herrschaft*, Múnich, Piper, 2006, p. 964. [Hay trad. cast. del inglés: *Los orígenes del totalitarismo*, Madrid, Taurus, 1998, trad. de Guillermo Solana].
10 Marshall McLuhan, *Wohin steuert die Welt? Massenmedien und Gesellschaftsstruktur*, Viena, Europaverlag, 1978, p. 174, trad. alemana de Heinrich Jelinek.
11 Walter Benjamin, *Das Kunstwerk im Zeitalter seiner technischen Reproduzierbarkeit*, Frankfurt, Suhrkamp, 1963, p. 36. [Hay trad. cast.: «La obra de arte en la época de su reproductibilidad técnica» (1936), en *Iluminaciones*, Barcelona, Taurus, 2018, trad. de Jesús Aguirre, p. 195 y ss.; también en Walter Benjamin, *Obras*, libro I, vol. 2, Madrid,

Abada, 2008, pp. 7-47, trad. de Alfredo Brotons Muñoz].

12 Christian Linder, *Der Bahnhof von Finnentrop. Eine Reise ins Carl Schmitt Land*, Berlín, Matthes & Seitz, 2008, p. 423.

INFOCRACIA

1 Jürgen Habermas, *Strukturwandel der Öffentlichkeit. Untersuchungen zu einer Kategorie der bürgerlichen Gesellschaft*, Frankfurt, Suhrkamp,1990, p. 13. [Hay trad. cast.: *Historia y crítica de la opinión pública*, Barcelona, Gustavo Gili, 1982, trad. de Antoni Domènech (con la colaboración de Rafael Grasa)].

2 Neil Postman, *Wir amüsieren uns zu Tode. Urteilsbildung im Zeitalter der Unterhaltungsindustrie*, Frankfurt, Fischer, 1988, p. 68. [Hay trad. cast.: *Divertirse hasta morir. El discurso público en la era del «show business»*, Barcelona, Ediciones de la Tempestad, 2001, trad. de Enrique Odell].

3 J. Habermas, *Strukturwandel der Öffentlichkeit...*, p. 261.

4 N. Postman, *Wir amüsieren uns zu Tode...*, p. 2.

5 J. Habermas, *Strukturwandel der Öffentlichkeit...*, p. 260.

6 N. Postman, *Wir amüsieren uns zu Tode...*, p. 138 y s.
7 *Ibid.*, p. 139.
8 *Ibid.*, p. 8.
9 A mediados de febrero de 2020, Tedros Adhanom Ghebreyesus, director general de la Organización Mundial de la Salud (OMS), observó: «No solo combatimos una pandemia; combatimos también una infodemia».
10 Niklas Luhmann, *Entscheidungen in der «Informationsgesellschaft»*, <www.fen.ch/texte/gast_luhmann_informationsgesellschaft.htm>, último acceso: 13 de junio de 2021.
11 Robert Feustel, *Am Anfang war die Information. Digitalisierung als Religion*, Berlín, Verbrecher, 2018, p. 150.
12 N. Luhmann, *Entscheidungen in der «Informationsgesellschaft»*...

EL FIN DE LA ACCIÓN COMUNICATIVA

1 Pierre Lévy, *Die kollektive Intelligenz. Für eine Anthropologie des Cyberspace*, Colonia, Bollmann, 1998, p. 91. [Hay trad. cast.: *Inteligencia colectiva. Por una antropología del ciberespacio*, Washington, Organización Panamericana de la Salud, 2004].

2 Hannah Arendt, «Wahrheit und Politik», en *Zwischen Vergangenheit und Zukunft. Übungen im politischen Denken I*, Múnich, Piper, 2000, pp. 327-370; aquí, p. 342. [Traducción extraída de: Hannah Arendt, «Verdad y política», en *Entre el pasado y el futuro. Ocho ejercicios sobre la reflexión política*, Barcelona, Península, 1996, pp. 239-277, p. 254, trad. de Ana Poljak].
3 *Ibid.* [*Ibid.*, 254].
4 *Ibid.*, p. 343. [*Ibid.*, 254].
5 Jürgen Habermas, *Vorstudien und Ergänzungen zur Theorie des kommunikativen Handelns*, Frankfurt, Suhrkamp, 1984, p. 588, las cursivas son mías. [Hay trad. cast.: *Teoría de la acción comunicativa. Complementos y estudios previos*, Madrid, Cátedra, 1997, trad. de Manuel Jiménez Redondo].
6 Eli Pariser, *Filter Bubble, Wie wir im Internet entmündigt werden*, Múnich, Hanser, 2012, p. 17. [Hay trad. cast.: *El filtro burbuja. Cómo la red decide lo que leemos y lo que pensamos*, Madrid, Taurus, 2017, trad. de Mercedes Vaquero].
7 *Ibid.*, p. 156.
8 Jürgen Habermas, *Der philosophische Diskurs der Moderne. Zwölf Vorlesungen*, Frankfurt, 1985, p. 348. [Hay trad. cast.: *El discurso filosófico de la moderni-*

dad. *Doce lecciones*, Madrid, Taurus, 1989, trad. de Manuel Jiménez Redondo].
9 *Cfr.* Byung-Chul Han, *Hyperkulturalität, Kultur und Globalisierung*, Berlín, Merve, 2005. [Hay trad. cast.: *Hiperculturalidad. Cultura y globalización*, Barcelona, Herder, 2018, trad. de Florencia Gaillour].
10 Michael Seemann, *Digitaler Tribalismus und Fake News*, <https://ctrl-verlust.net/DigitalerTribalismusUndFakeNews.pdf>, último acceso: 13 de junio de 2021.
11 Jürgen Habermas, *Theorie des kommunikativen Handelns*, vol. 1, Frankfurt, Suhrkamp, 1988, p. 27. [Hay trad. cast.: *Teoría de la acción comunicativa*, 2 vols., Madrid, Taurus, 1999, trad. de Manuel Jiménez Redondo].

RACIONALIDAD DIGITAL

1 Hiroki Azuma, *General Will 2.0. Rousseau, Freud, Google*, Nueva York, Vertical, 2014, p. 68 y s.
2 Jürgen Habermas, «Moralischer Universalismus in Zeiten politischer Regression. Jürgen Habermas im Gespräch über die Gegenwart und sein Lebenswerk», en *Leviathan*, 48, 1 (2020), pp. 7-28; aquí, p. 27.

3 J. Habermas, *Theorie des kommunikativen Handelns...*, vol. 1, p. 38 y s.
4 Alex Pentland, *Social Physics. How Good Ideas Spread – The Lessons from a New Science*, Nueva York, Penguin, 2014, p. 11.
5 *Ibid.*, p. 43.
6 Jean-Jacques Rousseau, *Der Gesellschaftsvertrag*, Leipzig, Reclam, 1981, p. 61. [Trad. extraída de: Jean-Jacques Rousseau, «Sobre si la voluntad general puede errar», *Contrato social*, II, III, Madrid, Espasa Calpe, 2007, p. 58, trad. de Fernando de los Ríos].
7 *Ibid.* [*Ibid.*, p. 59].
8 B. F. Skinner, *Jenseits von Freiheit und Würde*, Reinbek, Rowohlt, 1973, p. 205 y s. [Trad. extraída de: *Más allá de la libertad y la dignidad*, Barcelona, Martínez Roca, 1986, p. 184, trad. de Juan José Coy].
9 Alex Pentland, «The death of individuality. What really governs your actions?», en *New Scientist*, 222 (2014), pp. 30-31; aquí, p. 31.
10 A. Pentland, *Social Physics...*, p. 190.
11 *Ibid.*, p. 12.
12 Shoshana Zuboff, *Das Zeitalter des Überwachungskapitalismus*, Frankfurt, Campus, 2018, p. 595. [Hay trad. cast.: *La era del capitalismo de la vigilancia. La*

lucha por un futuro humano frente a las nuevas fronteras del poder, Barcelona, Paidós, 2020, trad. de Albino Santos].

13 Michel Foucault, *Die Ordnung der Dinge. Eine Archäologie der Humanwissenschaften*, Frankfurt, 1974, p. 462. [Traducción extraída de: Michel Foucault, *Las palabras y las cosas. Una arqueología de las ciencias humanas*, Buenos Aires, Siglo XXI, 1968, p. 375, trad. de Elsa Cecilia Frost].

LA CRISIS DE LA VERDAD

1 Friedrich Nietzsche, *Nachgelassene Fragmente 1869-1874*, Kritische Studienausgabe, Giorgio Colli y Mazzino Montinari, eds., Berlín, Nueva York, DTV-de Gruyter 1980, vol. 7, p. 492. [Traducción extraída de: Friedrich Nietzsche: *Fragmentos póstumos (1869-1874)*, vol. I, 19 [230], Madrid, Tecnos, 2010 (2.ª ed. corregida y aumentada), p. 394, trad. de Luis Enrique de Santiago Guervós].

2 Harry G. Frankfurt, *Bullshit*, Frankfurt, Suhrkamp, 2006, p. 70 y s. [Hay trad. cast.: *On Bullshit. Sobre la manipulación de la verdad*, Barcelona, Paidós, 2006, trad. de Miguel Candel].

3 H. Arendt, «Wahrheit und Politik»..., p. 339. [*Ibid.*, p. 250].
4 H. Arendt, *Elemente und Ursprünge totaler Herrschaft*..., p. 909 y s.
5 Adolf Hitler, *Mein Kampf*, Múnich, Franz Eher, 1943, p. 126.
6 *Ibid.*, p. 296.
7 *Ibid.*, p. 126.
8 *Ibid.*, p. 253.
9 George Orwell, *1984*, Frankfurt, Fischer, 1984, p. 39. [Trad. extraída de: George Orwell, *1984*, Barcelona, Destino, 1993, p. 41, trad. de Rafael Vázquez Zamora; también en George Orwell, *1984*, Barcelona, Debolsillo, 2013, trad. de Miguel Temprano García].
10 *Ibid.*, p. 52. [*Ibid.*, p. 49].
11 *Ibid.*, p. 9. [*Ibid.*, p. 11].
12 H. Arendt, «Wahrheit und Politik»..., p. 363. [*Ibid.*, p. 272].
13 Roland Barthes, *Die helle Kammer*, Frankfurt, Suhrkamp, 1985, p. 90. [Trad. extraída de: Roland Barthes, *La cámara lúcida*, Barcelona, Paidós, 1990, p. 126, trad. de Joaquim Sala-Sanahuja].
14 N. Luhmann, *Entscheidungen in der «Informationsgesellschaft»*...
15 *Ibid.*
16 Jn: 14, 6.

17 J. Habermas, «Warheitstheorien», en *Vorstudien und Ergänzungen zur Theorie des kommunikativen Handelns...*, 1984, pp. 127-182; aquí, p. 137.

18 *Ibid.*, p. 136.

19 Michel Foucault, *Die Regierung des Selbst und der anderen. Vorlesungen am Collège de France 1982/83*, Frankfurt, 2009, p. 205. [Traducción extraída de: Michel Foucault, *El gobierno de sí y de los otros. Curso en el Collège de France (1982-1983)*, Buenos Aires, Fondo de Cultura Económica, 2009, p. 170, trad. de Horacio Pons].

20 *Ibid.*, p. 204. [*Ibid.*, p. 169].

21 *Ibid.*, p. 201 y s. [*Ibid.*, 167].

22 *Ibid.*, p. 206. [*Ibid.*, 170].

23 Michel Foucault, *Der Mut zur Wahrheit. Die Regierung des Selbst und der anderen II. Vorlesung am Collège de France 1983/84*, Berlín, Suhrkamp, 2010, p. 58. [Traducción extraída de: Michel Foucault, *El coraje de la verdad. El gobierno de sí y de los otros II. Curso en el Collège de France (1983-1984)*, Buenos Aires, Fondo de Cultura Económica, 2010, p. 152, trad. de Horacio Pons].

24 *Ibid.*, p. 109. [*Ibid.*, p. 94].

25 Michel Foucault, «127. Zum geschlossenen Strafvollzug», en *Schriften in vier Bänden. Dits et Écrits*, vol. II, 1970-1975, Frankfurt, Suhrkamp, 2002, p. 541.

26 *Ibid.*
27 Platón, *República*, VII, 517a. [Trad. extraída de: Platón, *República*, Madrid, Gredos, 1988, p. 342, trad. de Conrado Eggers Lan].
28 H. Arendt, «Wahrheit und Politik»..., p. 370. [*Ibid.*, p. 277].

«Para viajar lejos no hay mejor nave que un libro».

EMILY DICKINSON

Gracias por tu lectura de este libro.

En **penguinlibros.club** encontrarás las mejores recomendaciones de lectura.

Únete a nuestra comunidad y viaja con nosotros.

penguinlibros.club

 penguinlibros

Este libro
se terminó de imprimir en
Fuenlabrada, Madrid,
en el mes de noviembre de 2024